人文阅读与收藏·良友文学丛书

舒乙题

U0863122

原丛书主编：赵家璧

特 邀 顾 问：舒 乙 赵修慧 赵修义 赵修礼 于润琦

出 品 人：马连弟
监 制：李晓琤
执 行：张娟平
统 筹：吴 晞 姚 兰
装帧设计：赵泽阳

特别鸣谢（按姓氏笔画排列）：
韦 韬 叶永和 李小林 沈龙朱 陈小滢 杨子耘
张 章 周 雯 周吉仲 舒 乙 蒋祖林 施 莲
姚 昕 俞昌实 钟 蕻 郑延顺 赵修慧
以及在版权联系过程中尚未联系到的作者或家属

特别鸣谢：
上海鲁迅纪念馆
北京鲁迅博物馆
北京大学中国语言文学系
复旦大学中国语言文学系
中国作家协会权益保障委员会

人文阅读与收藏·良友文学丛书

雾

巴　金著

中国国际广播出版社

良友版《雾》精装本护封

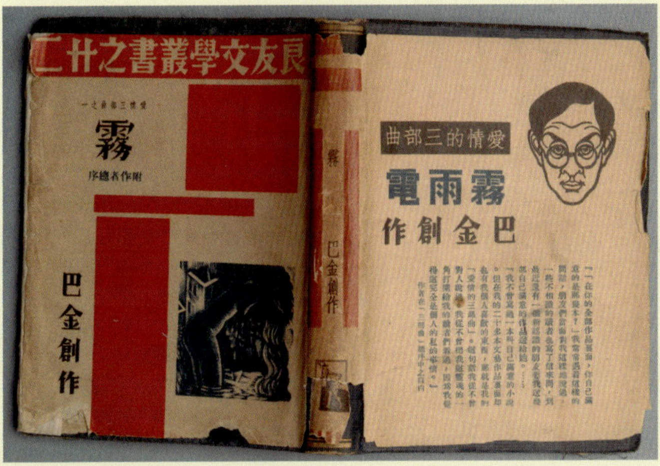

良友版《雾》巴金第一号签名本

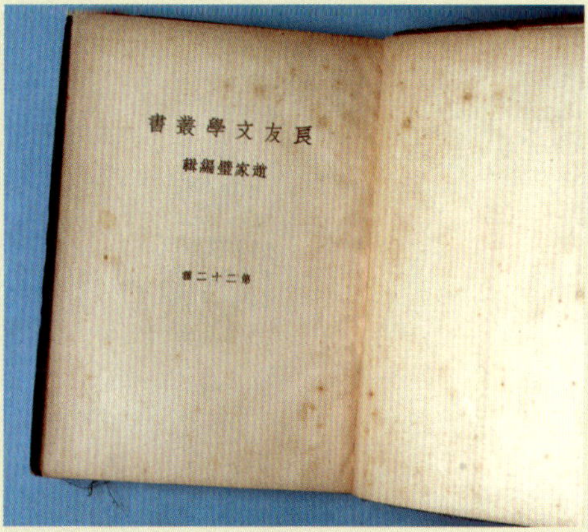

良友版《雾》编号页

良友版《雾》扉页

良友版《雾》总序

良友版《雾》内文

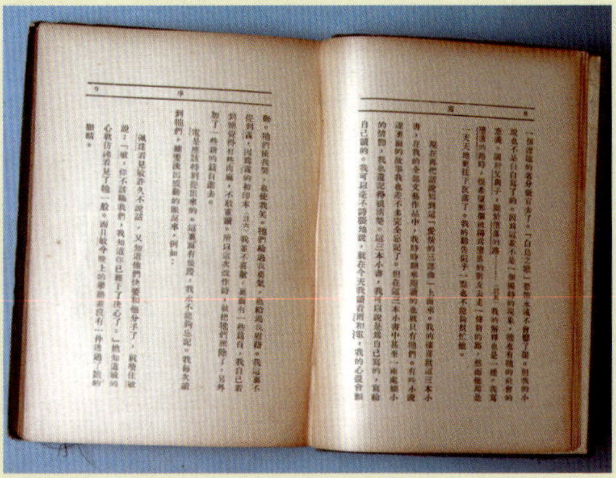

《良友文学丛书》新版出版说明

二十世纪三四十年代，著名编辑赵家璧在上海良友图书公司老板伍联德的支持下，历经十余年，陆续出版《良友文学丛书》，计四十余种。其中三十九种在上海出版，各书循序编号，后出几种则无。该套丛书以收入当时左翼及进步作家的作品为主，也选入其他各派作家作品。其中小说居多，兼及散文和文艺论著；第一号是鲁迅的译作《竖琴》。丛书一律软布面精装（亦有平装普及本），外加彩印封套，书页选用米色道林纸，售价均为大洋九角。

《良友文学丛书》选目精良，在现在看来，皆为名家名作；布面精装的装帧更是被许多爱书人誉为“有型有款”。不可否认，在装帧设计日益进步的当下，这套出版于二十世纪三四十年代的丛书外形已难称书中翘楚，但因岁月洗汰，人为毁弃，这套曾在出版史上一度“金碧辉煌”过的丛书首版已然成为新文学极其珍贵的稀见“善本”。

在《良友文学丛书》首版八十周年之际，为满足现代普通读者和图书馆对该丛书阅读与收藏的需求，我们依据《良友文学丛书》旧版进行再版（四种特大本不在其列）。本着尊重旧版原貌的原则，仅对旧版中失校之处予以订正。新版《良友文学丛书》采用简体横排的形式，以旧版书影做插图，装帧力求保持旧版风格，又满足当下读者的审美趣味。希望这一出版活动对缅怀中国出版前辈们的历史功绩和传承中国文化有所裨益，也希望广大读者多提宝贵意见和建议，以便我们把日后的工作做得更好。

《良友文学丛书》新版校订说明

一、本丛书收录原良友图书公司编辑赵家璧主编《良友文学丛书》共四十六种（四种特大本不在其列），乃为目前发现且确系良友版之全部。

二、此番印行各书，均选择《良友文学丛书》旧版作为底本，编辑内容等一律保持原貌，未予改窜删削。

三、所做校订工作，限于以下各项：

（1）将繁体字改为简体字；

（2）原作注释完全保留；

（3）尽量搜求多种印本等资料进行校勘，并对显系排印失校者在编辑中酌予订正；

（4）前后字词用法不一致处，一般不做统一纠正；

（5）给正文中提到的书籍和文章及其他作品标上书名号，原作书名写法不规范、不便添加符号者，容有空缺；

（6）书名号以外其他标点符号用法，多依从作者习惯，除个别明显排印有误者外均未予改动。

前　记

在我的每本书的前面我都写了序文。

但这一次我却更愿意让我的文章自己和读者见面，不想再写什么解释的语句。

然而有一件事情应该却应该在这里声明：我并未去过日本①，本书中关于日本的话都是从一个敬爱的朋友那里听来的，因此就有人疑心我是拿那个朋友做模特儿，

① 我去日本，还是一九三四年冬天的事。第二年春天我在东京重读《雾》（新中国书局版，已收回版权，）随读随改，到冬天回国才在上海把全书改完，另外附了新作《爱情三部曲总序》一篇，随交良友图书公司刊行。全书尚未排竣，我又在北平，在那里写了《作者的自白》答覆刘西渭先生，后来得到刘先生的同意，便把他的批评文章和我的自白一并附在《雾》的后面。

一九三六年春

最近良友公司要重排《雾》，我把《雾》校改一遍，刘西渭先生的批评文章和我的自白都被我移到《电》的附录中去了。

一九四〇年夏

其实这是错误。这错误竟使我几乎得罪一个朋友。事实上像我写以前的几部长篇那样，我用来作本书主人翁的模特儿的并不只是一个人。那样的人我接触过不少，得到了很深的印象，因此写下来时，不免使朋友们觉得大有人在。于是他们就以为我是在写某人的事，或拿某人做模特儿。因为从已经出版的几部小说中得了这不快意的经验，所以这次特别作这一个郑重的声明。

巴 金 一九三一年十一月

总 序

我在一九三一年夏天开始写《雾》，到一九三三年十二月才把《电》写完。写了《电》，我的“爱情的三部曲”算是完成了。

关于这三本小书似乎有不少的读者说过话，我也见过一些杂志和报纸上的批评，我自己却始终沈默着。到现在我已经把别人所说过的话完全忘记了。但那些被咽在肚里的自己的话却成了火种在我的心里燃烧起来。我不能够再沈默。所以我借着《雾》的改订本第一次问世的机会，把我的灵魂的一隅打开给读者。

“在你的作品里面你自己满意的是哪几本？”我常常遇着这样的问话。朋友们当面对我这样地说过，一些不相识的读者也写了信来问，最近还有一个新认识的朋友要我拣几部自己满意的作品送给她。

对于这样的问话我的答覆总是很简单的一句：“我

没有写过一部自己满意的作品。"这是真实的话。所以对于那个朋友我就连一本书也没有送去。我对于自己的作品从来就没有满意过。

我不曾写过一本叫自己满意的小说。但在我的二十多本文艺作品里面却也有我个人喜欢的东西，那就是我的"爱情的三部曲"。这句话我不曾对人说过。我从不曾把我这灵魂的一隅打开给我的读者们看过，因为我觉得这完全是个人的私的事情。

我为什么在我的许多作品中单单喜欢这三本小书呢?这大概是由于个人的偏好，我不是一个批评家，并且我是撇开了艺术和意识来读自己的作品的。

我常常被人误解，有些朋友甚至武断地说，我的作品里面常常有我自己，他们居然在生人面前替我的作品作过考证。也有人相信他们的话，因为他们自以为很了解我。而事实上我的写作的苦心却是他们所想不到的。我就这样地被人误解了这几年，到现在我才有机会来叫出一声"冤枉"。我可以公平地说：我从没有把自己写进我的作品里面，虽然我的作品中也浸透了我自己的血和泪，爱和恨，悲哀和欢乐。固然我偶尔也把个人的经历加进我的小说中，但这也只是为了使那小说更近于真实，而且就在这种处所，我也曾留心到全书中的统一性，我也极力保留着性格描写的一致。譬如在《雾》和

《雨》里陈真刊行了一本解释他的社会思想的书，是作为“社会科学丛书之一”而出版的，这是一本对都会的人说法的书，在这里面乡村问题却完全没有被谈到。事实上我自己就写过这样的一本书。我知道有些神经过敏的人会根据这事实来断定陈真就是我自己。然而倘使他们读了陈真被汽车辗死的一段描写以后，他们不知道又会有什么样的意见，也许他们会以为现在活着写文章的只是我的鬼魂罢。

或者我做着陈真做过的事，或者陈真做了我做过的事，这都是不关重要的。他是一个独立的人格，我也是的。我的小说里的每个主人公都是一个独立的人格。他或她发育、成长、活动、死亡，都构成了他或她的独立的存在。因为他或她是一个人，一个活的人，而不是一个影子。倘使我把自己当作小说的主人公来描写，那么我的主人公就会只是我的一个影子，杜大心是一个影子，（我和他都写过《生之忏悔》），李冷是一个影子，（我曾经用过李冷这名字发表过一些文章，）高觉慧是一个影子，（我和他都演过《宝岛》里面的黑狗，都在成都外国语专门学校读过书），陈真也是一个影子，还有许许多多……结果，我的小说就完全成了虚伪的东西，也决不会感动那些青年的心灵了。这一点我决不能够承认。

还有些人说我常常把朋友做模特儿来写小说，这种说法是多少有点根据的。我为了这个也受过一些朋友的责难。最近有一个朋友还说，我写《雷》，不该把那个主人公写得那么夸张，因此增长了那个被描写的朋友的骄傲。我为了这个曾经分辩过半个钟头，我的理由很充足，因为《雷》里面的德并不就是那个朋友，我写这小说时不过借用了那朋友的一件小小的事情。如果别的朋友以为“雷”就是那个人的化身，这责任也不应该由我来负。我自己当然比别人知道得更清楚。

然而关于这种事情我也不完全否认。我在别的一些小说里面果然写过一两个朋友，但我的意思是这样：与其说我拿朋友做模特儿来写小说，不如说我为某一两个朋友写过小说。这其间的差别是很大的。譬如说《白鸟之歌》[①]，许多人都知道我是拿某一个上了年纪的友人做模特儿来写的，但我的本意却不是如此简单，我爱护这个朋友，我不愿意他辜负了大家对他的期望，我不愿意他牺牲了过去的一切，去走个人的路。所以我写了这小说来劝他。我给他指出了一条路，而他却不知道去走。他走了和那小说里所写的完全相反的一条路了。这事情很使我失望。我不仅写了小说，而且我还有一点行动。但这有什么用处呢？当一个人被爱情迷住了眼睛的时候，

① 《白鸟之歌》，短篇，见巴金短篇小说集第一集，第三篇。（开明版）

甚至世界的毁灭，人类的灭亡也不会被他看见了。那朋友在我的过去的生涯里有过极大的影响。他答应过以毕生的精力写一部人生哲学来做我们的生活的指针。我等待着。我已经等候了七年。现在他是陪了太太到一个辽远的省分做官去了。《白鸟之歌》恐怕永远不会响了罢。但我的小说也不是白白写了的。因为这并不是一个独特的现象，它也有它的社会的意义。关于《父与子》，关于《堕落的路》[①] ……我的解释也是一样。我写《堕落的路》时，很希望那个被称为“堕落”的朋友去走一条新的路，然而他却是一天天地更往下沈落了。我的劝告似乎对他没有一点用处。

现在再把话说回到这“爱情的三部曲”上面来。我的确喜欢这三本小书，在我的全部文艺作品中，我时时翻来阅读的也就只有它们。有些小说里面的故事我现在差不多完全忘记了。但在这三本小书中甚至一两处细小的情节，我也还记得很清楚。这三本小书，我可以说是为自己写的，写给自己读的。我可以毫不夸张地说，就在今天我读着《雨》和《电》，我的心还会颤动。它们使我哭，也使我笑。它们给过我勇气，也给过我慰藉。我这里不提到《雾》，因为《雾》的初印本我并不喜欢，里面有一些篇页，我自己看到总觉得不大舒服。

① 均见《巴金短篇小说集》第一集，第三篇。

所以这次改作时，就把它们删除了，另外加一些新的篇页进去。

《电》是应该特别提出来说的。这里面有几段，我永不能够忘记。我每次读到它们，总要流出感动的眼泪，例如：

> 佩珠看见敏许久不说话，又知道他们快要和她分手了，就唤住敏说："敏，你不应该瞒我们，我知道你已经下了决心了"。她知道敏的心就仿佛看见了她一般。而且敏今晚上的举动并没有一件逃过了她的眼睛。
>
> 敏不说话，却只顾埋着头走，好像并没有听见她的话。仁民接着也唤他一声，他仍旧不回答。
>
> 很快地他们走到了两条巷子的交叉处，敏应该往西去了。在这里也是很静寂的，除了他们三个便没有别的行人。
>
> 佩珠站住了。她向四周一看，低声说："敏，你就这样和我们分别吗?"她伸出手给他。
>
> 敏热烈地一把握住她的手，感激似地说："你们原谅我。——我真不愿意离开你们。"他的眼泪滴到佩珠的手腕上。
>
> "为什么要原谅? 就说祝福罢！……你看我是很了解你的。"佩珠微笑地、亲切地说着，她慢慢

儿把手腕放到自己的嘴唇上去。

我读到这里我的眼泪落在书上了，但我还继续读下去：

敏又和仁民握了手，口里淡淡地说："不要紧，我们明天还可以见面"。他决然摔了仁民的手往西边巷子里去了。

佩珠还立在路口，痴痴地望着他的逐渐消失在阴暗里的黑影，她心里苦痛地叫着："他哭了。"事实上她也哭了。

仁民看见她这样站着，便走近她的身边，把一只手伸去搂住她的腰，亲密地小声在她的耳边唤道："佩珠，我们走罢"。

她不说话，却默默地跟了他走着，把身子紧紧偎在他的怀里。过了好一会她才叹息地说："敏快要离开我们了。"

仁民一手搂着佩珠，一手拿着电筒照亮道路。他跟着她慢慢下着脚步走。他把头俯在她的肩上温柔地在她的耳边说："佩珠，不要悲痛，我是不会离开你的"。

佩珠默默地走着，过了半晌，忽然自语似地说："许多青年到我们里面来，但很快地就交出生命走了。敏说过他不是一个吝啬的人。”她的声音颤动着，那里面充满了悲痛。

我不能够再往下面读了。泪水迷糊了我的眼睛。我的心颤抖得很厉害。一种异样的感觉占有了我：是悲痛，是快乐，是感激，还是兴奋，总之，我说不出。

在《电》里面这样的处所是很多的，这些在一般的读者看来也许很平常，但对于我却有很大的吸引力，并且还是鼓舞的泉源。我想只有那些深知道现实生活而且深入到那里面去过的人方可以明了它们的意义。

我说这三本小书是为我自己写的，这不是夸张的话。我会把它们永久地放在案头，我会永久地读它们。因为在这里面我可以找着不少的朋友。我可以说在这“爱情的三部曲”里面活动的人物全是我的朋友。我读着它们，就像和许多朋友在一起生活。但这话也应该加以解释。我说朋友，并不是就指过去和现在在我周围活动的那些人。固然在这三本书里面我曾经留下一些朋友的纪念，而且我每次读到它们，我就会想到几个久别的友人。但是我仍旧要说我写小说并不是完全给朋友们写照。我固然想把几个敬爱的朋友写下来使他们永远活在我的面前，可是我写这三本小说时却另外有我的预定的计画：我要主要地描写出几个典型，而且使这些典型普遍化，我就不得不创造一些事实，但这并不是说我从脑里想出了一些东西。我不过把别人做过的事加在我的朋友们的身上；这也不是说我把他们所已经做过的事如实地写了出来，我不过是写：有他们这种性格的人在某一种环境里面所能够做出的事情。所以在我的小说中出现的已经不是我的实生活里面的一些朋友了。他们是独立的存在。他们成了我的新朋友，他们在我的眼前活动，受苦，哭，笑以至于死亡。我和他们分享这一切的感情。我悲哭他们的死亡。

陈真仰卧在地上，微微地动着，腥血包围住他的身子。他已经不能够发声，除了那低微的喉鸣。颈项以下就不是他平日的完整的身体。只有他的头部还没有改变。黄瘦的脸上涂了一些血迹，眼睛微闭着，上面失掉了那一付宽边眼镜。

亚丹静静地躺在黑暗里，半睁开眼睛，他全身染了血，但嘴唇上却留着微笑，好像他还睡在他的蜜蜂和他的小学生中间。

一些人围着尸体看。她们也挤进去。无疑地那是敏的脸，虽然是被血染污了，但脸部的轮廓却还能够被她们认出来。身上也全是血。一只脚离了腿部，飞到汽车旁边。

"敏，这就是你的轮值罢，"慧想说这样的话，没有说出口，却已经流出眼泪，她的心从没有像现在这样厉害地痛楚过。她的眼睛模糊起来，她仿佛看见那血脸把口张开，说道："你们会常常记着我吗？"

这全是很简单，很平凡的描写。和这类似的处所还有不少。这种写法不会使读者感动也未可知。但是当我写这些篇页的时候，我自己的确流过眼泪。我这样地杀死我的朋友，我的苦痛是很大的，而且因为他们构成了单独的存在，和我的实生活里面的朋友并没有多大的关系，那么他们以后就不会复活起来。我就会永久地失掉他们了。这损失是很大的。

没有一个读者能够想像到我写这三本小书时所经历的感情的波动。没有一个读者能够想像到我下笔时的心里的激斗。更没有一个人能够了解我是怎样深切地爱着这些小说里面的人物。知道这一切的只有我自己。

现在我可以把我写成这"爱情的三部曲"的经过叙说出来了。

《雾》的写作全是偶然的事情。那时是一九三一年的夏天，从这一年起我才开始正式地写起小说来。以前我只是在翻译伦理学、经济学的著作，和著述那部题作

“社会科学丛刊之一”的小书的余暇偷偷地写点小说。只有这一九三一年的光阴才是完全花费在创作上面的。

那时我住在闸北，地方还宽敞，常常有朋友来往。一个从日本回来的朋友也常来的。有时候我和那朋友就同睡在一张大床上，谈着日本的种种事情，也谈到他过去的恋爱的经验。有一次他到别处去玩了两天，回来以后人似乎变了样子。他和我谈到他在那地方的生活，渐渐地他变得很激动了，他那满是皱纹的黄瘦的脸也突然显得年青起来。他终于说出了在那里和一个少女的交际，那个姑娘是他和我都认识的。

第二天他又谈起这事情，并且是在一些朋友的面前说的。他喝了一点酒，微微红着脸，说出闻到那位姑娘的肉香的故事。这使得那个住在楼上的朋友太太感到很大的兴趣，而快活地笑了。

这天晚上他住在我家里。已经过了十点钟，他还是异常兴奋，他一定要把我和另一个朋友拉到虹口吃日本面去。他对于日本面有特别的嗜好。我们从虹口一家日本馆子出来，慢慢地走回家。月亮很好，这散步，是很愉快的。回到家里我们又谈了不少的事，直谈到深夜两点钟，我因为疲倦就上床睡了。那朋友却不让我闭眼睛，他还絮絮地和我谈女人的事情。他平时并不抽烟，这晚上却接连地抽起纸烟来。我很瞌睡，我催他睡觉，他却只顾和我谈话，我没有办法，就扭熄了电灯。但这也不能够减少他的兴致。

电灯灭了，房里却并不黑暗，月光从外面射进来，把窗门的影子映在地板上。周围很是静寂，我借着月光和纸烟头的火光模糊地看出了他的面容。他还絮絮地对我赞美那撩人心绪的少女的肌肉的香味。我已无心听下去了。这被单恋所苦恼着的男子的心情我很能够了解，然而我的瞌睡使我忘了一切。

这晚上也似乎没有闭过眼睛。以后这事情传出去，楼上的朋友太太就戏谑地给他起了个“肉香”的绰号。

日子平淡地过去了，我们以为他会忘记了肌肉的香味。但事实恰和我们所猜想的相反，他似乎整天就在想念那一位姑娘。于是发生了和《雾》的第四章开场时的类似的一段谈话。参加的人除了他外有我，有那个被人一度看作陈真的朋友，还有性格和吴仁民相似的那个朋友。我们谈得很久。这次的谈话和小说里的一样，是没有结果。那时我便起了写《雾》的念头。我想写这小说来劝他，来给他指出一条路，把他自己的性格如实地绘出来给他看。让他看清楚自己的真面目。

我在忙迫中开始写了《雾》的第一章，他看见我写这小说，知道我是在写他和那个姑娘，他很高兴，他甚至催促我早早地写完它，但是《家》的写作耽误了我几天的工夫。这其间他到南翔游玩去了。等他在一个星期以后回到上海来时，我的小说已经写好了放在那里等他。

他是晚上来的。他急切地读着我的原稿。我们旁边看他，他的感情的变化很明显地摆在脸上。他愈读下去脸色变得愈可怕了。他想不到我会写出后面的那几章来。其实连我自己也想不到会写了那样的篇页。在我这也是不能自主的，我爱这个朋友，我开始写这小说时我怀了满胸的友情，可是一写下去，憎厌就慢慢地升起来，写到后来，我就完全被憎恨压倒了。那样的性格我不能不憎恨。我爱这朋友，但我却不能够宽恕他那性格。我写了《雾》，我挖出一个朋友的心，但看见这颗心连我自己也禁不住战抖起来了。

这朋友读完我的原稿，气愤地说了一句："岂有此理!"我知道他的心情，但我无法安慰他。我们苦恼地对望着，好像有张幕隔在我们中间。我们两个平时都不会抽烟，这时候我们却狂抽起来，烟雾遮蔽了我们的眼睛，使我们暂时忘了这世界。

"你不了解我。你不应该这样地写，你应该把它重写过。"他忽然发出了苦痛的呼号。

我咬着嘴唇皮，沈思了片刻，苦痛地回答："我不能够重写，因为我并不是故意挖苦你。"

他沈默了一会忽然努力地说："至少有几个地方非修改不可，"他于是翻开原稿，指出了几个他认为不妥当的处所给我看。

"好，我试试看。"在这时候多说一句话也是很困难的。我马上接过了原稿，就当着他的面把那几个地方删去了。

他依旧不满意，可是他也无话可说了。第二天他对另一个朋友说，我的这小说很使他失望，他从南翔回来时，本来充满了热情和勇气，可是一读到我的小说就突然落到冰窖里面去了。他在自己的前面就只看见黑暗。他找不出一点希望和光明。他因此甚至想到自杀。

这些话很使我痛苦，我本想为了这朋友的缘故，就毁弃我的小说，但我再一想便又改变了主意。我仔细地把全部原稿读了一遍，我觉得在这里面我并没有犯错误。我所描写的是一个性格，这个性格是完全地被写出来了。这描写是相当地真实的。而且这并不是一个独特的例子，在中国具有着这性格的人是不少的。那么我是在创造一种典型，而不在描写我的朋友。所以我不能够为了这朋友的缘故就毁弃我的小说。不过为了使这朋友安心起见，我又把《雾》删改一次，把我从这朋友那里借来的事实都奉还了他。后来单行本付印时，我又加上一篇作为“声明”的短序。（这短序写好也给那朋友看过，他没有说什么。）

两三个月以后《雾》在《东方杂志》上面陆续发表出来。那时他早已忘掉肌肉香味，也不说什么回家的话。他的怯懦和犹豫已经逐渐地把那单恋的痕迹磨洗净尽了。但他却受了那个被人疑作陈真的友人和一个现在被我们称作老板的友人的鼓励，开始对另一个姑娘表示了好感。我的小说固然不曾增加他的勇气，但也不曾减少他的勇气。他也似乎完全忘记了它。不过散在各地的朋友们一读到《雾》，就断定谁是周如水。他们说他的性格确实是如此。

陈真在《雾》里面是一个重要的人物，那个被人看作吴仁民的朋友起初断定说这是我自己的写照，因为我是“周如水”的好友，我曾经认真地劝过周如水几次，而且我写过陈真写的那本书。我当初把自己做过的事情借给陈真，原是无心，我以为他做这件事与他的性格也很相合，却不料因此被那朋友开了这样的一个玩笑。但幸而说这话的人就只有他一个。别的朋友却以为陈真就是一个姓陈的朋友，因为那人也患着肺病，而且还是我所崇敬的友人，后来又有人说陈真是一个远在四川的患着剧烈的肺病的朋友，因为那朋友信仰坚强，做事勇敢。但其实都不是。陈真是我创造出来的一个典型人物，他并不是我的实生活里面的朋友。我自己也许有一点像他，但另外的两个朋友都比我更像他，而且他的日记里的几段话还是从“李剑虹”写给一个朋友的信里抄来的。那么他应该是谁呢？事实上他什么人都不是。他只是一个平凡的人，他有他的长处，也有他的弱点。我并不崇拜他，因为他并不是一个理想的典型人物。但我爱他，他的死很使我悲痛。所以在《雨》里他虽然一出场就被汽车辗死，然而他的影子却笼罩了全书。

关于吴仁民的话应该留在后面说。然而那三个小资产阶级的女性似乎不能不在这里介绍一下。

“介绍”这两个字我用错了，我的朋友里面并没有这样的三个女子。但我也不能够把她们从空虚里创造出来，我曾见过一些年青的女性，人数并不算少。但我和她们却完全不熟。我甚至有点怕和她们交际。（和我相熟的还是《电》里面的几个女郎。）虽然不是熟识，但我也能够把她们分作三类，塑成三种典型。其实三种并不够，可是在这有限的篇幅里却容不了那许多。所以我就把那些更坏一点（也许更真实一点）的女性的典型略去了。在这剩下的三种典型的描写上我也许犯了错误，因为我或者不曾透彻地了解过她们。但是《雷》和《电》里面的女性我却知道得很详细。

《雾》写成以后我就有了写作“爱情的三部曲”的念头，但直到它的单行本付印时我才有了这样的决心。

为什么要称这为“爱情的三部曲”呢？因为我打算拿爱情来作这三部连续小说的主题。但这和普通的爱情小说并不相同，我所注重的乃是性格的描写。我并不是单纯地描写着爱情事件的本身；我不过借用恋爱的关系来实现主人公的性格。在我们现在所处的这种环境里，这也许是一种取巧的写法。但这似乎是无可非难的。而且我还相信把一个典型的特征表现得最清晰的并不是他的每日的工作，也不是他的话语，而是他的私人生活，尤其是他的爱情事件。我见过许多人在外面做起事来很勇敢，说的话也很漂亮，而在他和女人讲恋爱的时候，或者他回到家里和妻子一道生活的时候，他的行动和语言就陈旧得十分可笑。有的人在社会思想上很解放，而在性的观念上却又是十分保守，十分顽固，一个人常常在“公”的方面作伪，而在“私”的方面却往往露出真面目来，所以我们要了解一个人的真面目，从他的爱情事件上面下手，也许更有效果。这意义是很明显的。也很知道每日的工作比爱情更为重要，我也知道除了爱情外，更重要的题材还有很多。然而我现在写这三本描写性格的小说时，却毫不迟疑地选了爱情做主题，并且称我的小说为“爱情的三部曲”。

我当时的计划是这样：在《雾》里写一个模糊的、优柔寡断的性格；在《雨》里写一种粗暴的、浮躁的性格，这性格恰恰是前一种的反面，也是对于前一种的反动，但比前一种已经有了进步；在最后一部的《雪》里面，就描写一种近乎健全的性格。至于《电》的名称，那是后来才改用的。所以在《雨》的序言里我就只提到《雪》。

不仅《电》这个名称我当时并不曾想到，而且连它的内容也和我最初的计划不同。我虽然说在《电》里面我仍把爱情作了主题，但这已经是很勉强的话了。

《雨》的写作经过了八九个月的时间，但这并不是一口气写成的。我大概分了五六回执笔，每回也只有三四天，而且中间经过“一·二八”，我又去过一次福建，我记得很清楚：《雨》的第五章的前面一部分还是在太原轮船的统舱里写的，后面一部分却是在泉州一个破庙里面写成。这破庙在那时还是一个私立中学校的校址，但如今那个中学已经关门了。

我写《雨》的前三章时心情十分恶劣。那时是一九三一年年尾，我刚写完这小说的前三章。在一九三二年一月二日，我就怀着一种绝望的心情写了下面的一段类似日记的文章，最近我从旧书堆里发见了它，就把它照原样地录在这里！

> 奋斗、孤独、黑暗、幻灭，在这人心的沙漠里我又过了一年了。
>
> 心啊，不要只是这样地痛罢，给我以片刻的安静，纵然是片刻的安静，也可以安舒我的疲倦的心灵。
>
> 我要力量，我要力量来继续奋斗。现在还不到撒手放弃一切的时候，我还有眼泪，还有血。让我活下去罢，不是为了生活，是为了工作。
>
> 不要让雾来迷我的眼睛，我的路是不会错误的。

我为了它而生活，而且我要不顾一切的人，继续走我的路。

心呵，不要痛了。给我以力量，给我以力量来抵抗一切的困难，使我站起来，永远站起来，一个人站在人心的沙漠里。

记着你允许过凡宰地的话，记着他所警告过你的。不要使有一天你会辜负那死了的他。

---

① 在《文学》二卷一号我的一九三四年的《新年试笔》里我把这一段文章改成了下面的样子，因为那时我在北平，无法找着原文，只是凭着记忆写出来的，所以和原文差得很多，而且我那时的心情已经和一九三二年一月三日的不同了。现在我把在《新年试笔》中引用的一段附在这里：

> 黑暗，恐怖，孤独，——在寂寞的沙漠里我又度过一年了。
>
> 心呵，不要只是这般地痛罢。给我以安静，那片刻的安静也可以安舒我的满是创痕的心。
>
> 不要战抖，不要绝望，不要害怕孤独，把一切都放在信仰上面。我的路是不会错的。拿出更大的勇气来向着它走去。不要因为达不到那目的地而悲伤，不要把自己的命运看得太重，应该把它联系在群体的命运上面，在人类的繁荣里看出你的前途来。
>
> 我还年青，我要活下去。给我力量来活下去，来忍受痛苦，继续挣扎。现在还不是应该放弃一切的时候。我还没有写尽我所写的，我还要继续写下去。
>
> 要强健起来，勇敢起来，应该忍受一切苦难而存在，不要让苦痛埋葬了我。

又，我在日记里提凡宰底，因为他曾写信鼓舞过我，使我以后可以勇敢地应付生活的斗争，而且免掉将来的受骗，见 The Letters of Sacco and Vanzeti pp，308-310.（The Viking press）

《雨》的前三章就是在这绝望的挣扎中写成的，所以那里面含着浓厚的阴郁气。它们在南京的一份文艺刊物上被发表时，那个被看作吴仁民的友人（《雨》里面的吴仁民才是他的写照）也在南京，他无意间读到它们，就马上写了信来说：

前几天读了你的小说的前三章，写的很好，只是阴郁气过重，我很为你不安，你为什么总是想着那可怕的黑影呢？我希望你向光明方面追求罢！照你这种倾向发展，虽然文章的表现会更有力，但对于你的文学生命的Puree（持续）或将有不好的影响。自然你在夜深人静时暗淡灯光下的悲苦心情，我是很能够了解的。但我总希望你向另一方面发力。

我那时刚刚从福建旅行归来，带了在那边写好的《雨》的第五章原稿。三个星期的奔波，两天的统舱的生活使我觉得十分疲倦。我读到这样的信函，我很感激那朋友，但我不同意他的话。我以为他还不了解我，所以我写了下面的答语寄给他：

读完你的信，我很感激你的好意和关心，但我并不同意你的话。

我承认你是一个比较了解我的人。我们又曾经在一起度过一部分的生涯，我们在一起为了一个共同的目标奋斗过。你不记得在巴黎旅舍的五层楼上我们每晚热烈地辩论到夜深，受着同居者的干涉的事情？在那些时候，我们的眼前现露着黎明的将来的美景，我们的胸里燃烧着说着各种语言的朋友们的友情。我常说在人的身上我看出了理想的美丽，我在写给伦敦友人的信上就常常用了 embody（体现）这个动词。你还记得那些可祝福的日子？但是现在我们渐渐地分离了。生活改变了你的性格，你是渐渐地老了。

我没有什么改变，不过身上加了一些创痛。我至今还是唯一的了解你的友人罢。然而我怕你是渐渐地不能够了解我了。你为什么还以为陈真就是我自己呢？你不能够看出来我和他中间有着很显明的差别吗？

你知道，我和别的许多人不同，我生下来就带了阴郁性，这阴郁性差不多毁坏了我一生的幸福。但是我那追求光明的努力却没有一刻停止过。我的过去的短促的生涯就是一篇挣扎的记录。我的文学生命的开始也是在我的挣扎最绝望的时期。《灭亡》是我的第一部小说。我开始写它的时候你也知道。后来我到乡下去了，在乡下读写《灭亡》时，我们中间曾经交换过许多封长信，从太阳的动或不动，谈到人类社会演进的路向，从决定论到你的自小哲学和我的奋斗哲学。你知道我那时的苦痛的心情，你知道我在写小说，而且你自己也受了我的影响动手写起你自传式的小说来。你知道我从没有一个时候完全绝望过，我从没有一个时候失掉过我的对于黎明的将来的信仰。

你不过读了《雨》的前三章。我以后将怎样写下去，你还不知道。你说这小说的阴郁气过重，但这阴郁气也并不会隐蔽了那贯穿我的全作品的光明的希望。我早已不去想那黑影了。事实上，我已经早把它征服了。你知道龚多塞在服毒以前曾写下他的遗言道："科学要征服死，"另一个诗人也说："爱要征服死，"这句话也曾被我的死去的太阳的女主人公重复说过。我的爱已经把那黑影征服了。我的对于人类的爱鼓舞着我，使我有力量和一切挣扎。所以在夜深人静时黯淡的灯光下鼓舞着我写作的也并不是那悲苦的心情，而是爱，对于人类的爱。这爱是不会死的。事实上只要人类不灭亡，则对于人类的爱也不会消灭，那么我的文学的生命也是不会断绝的罢。……

信寄出去后，又轮到我寄发《雨》的第五章的原稿的时候了。我便将这覆信的大意另写在一篇短短的按语里面附了寄去，同第五章的《雨》一起在杂志上发表了。

那朋友不久就离了南京，他也不曾来信谈《雨》的事情。一个月以后我继续写了《雨》的第六第七两章，又过了三个星期我就一口气从第八章写到第十六章，这样算是把《雨》写完了。以后单行本付印时，在分章和内容两方面都有了一点改动。

《雨》是《雾》的续编，不过在量上它却比《雾》多过一倍，故事发生的时间比《雾》迟两年，人物多了几个，虽然还是以爱情作主题，但比起《雾》来，这小说里的爱情的氛围气却淡得多了。

我自己更爱《雨》，因为在《雨》里面我找到了几个朋友，这几个人比我的实生活里面的友人更能够击住我心。我的预定计划是写一个粗暴的、浮躁的性格。我写了一个吴仁民。我的描写完全是真实的。我把那个朋友的外国的和内部的生活观察得十分清楚，而且表现得十分忠实。他的长处和短处，他的渴望和挣扎，他的悲哀和欢乐，他的全面目都现在《雨》里面了。虽然他自己后来读到《雨》的单行本，曾经带笑地发过一点怨言，因为我写的有一部分并不是事实。但我知道他心里是满足的。我们不能因为吴仁民的幼稚处就否认了他的真实性，那朋友自然也不能够。其实在现今活着做一个人，谁能够没有缺点。那朋友和我一样也是充满着缺点的。要是我们不曾消灭掉这些缺点，那么我们就没有理由来掩饰它们，我们应该对别人忠实，对自己也该忠实。

那朋友至今还是我的最好的友人中间的一个，我始终爱护他，但我却不得不承认他已经不是《雨》里面的吴仁民了。然而他并不曾改变到《电》里面的吴仁民的样子，《电》里面的吴仁民可以是他，而事实上却不是他。不知道生活使他变得沈静，还是他的热情有了寄托，总之我最近从日本归来在这里和他相见时，我确实觉得他可以安安稳稳地做一位大学教授了。我想几年以后，或者十几年以后他有一天会回忆起过去的生活，或者还会翻阅到这一本小小的书，他会在那里面认出一种始终不渝的友情来，那时候他也许会更了解我，或者还会更了解他自己。谁能够为青年时代的热情感到羞惭而后悔么？可惜的只是这热情不能够保持长久。

在《雨》里面出现了方亚丹和高志元。方亚丹可以放在后面说，因为在《电》里面他才现出了全身。高志元在《雨》里面是一个重要的人物，这是一个真实的人，但他被写进《电》里面时却成了理想的人物了。不，不能说是理想的人物，他如果处在《电》的环境里面，他的行动不会和那个高志元两样。

这个朋友是一个大孩子，他以他的单纯和真诚获得了我们大家的友爱。他有许多缺点，但他有着更多的热情。他的身体就是被这热情毁坏了的。他在中学里读书的时候喝酒过多，又不知道保养身体，常常喝醉了就躺在校园内的草地上面在一株树下过夜，后来就得了一种病：只要天气一变他的肚皮就会发痛，要吃八卦丹才可以暂时止住他的痛楚。我们因此叫他做“活的气象表，”但我们这样叫他，并没有一点的笑的意想。这个绰号里面包含了我们的友爱和关切。我们爱他，但是我们只得眼睁睁地看见他被那永不能熄灭的热情和那零碎的痛楚一天天地摧残下去。我们的痛苦是很大的。用手杖抵肚皮，固然是一个可笑的景象，然而我看见他这样做，我却忍不住要哭了。

在《雨》里面我真实地描写了这个朋友的面目。我的书使我的这友人永久地活在我的眼前。单为了这个，我也得实爱它。

《雨》的前五章这朋友是读过的，而且写第四章时我正和他同住在法租界某处的一个客堂里。第六章写成时他已经离开了上海。第八章以后因了那刊物的脱期他便没有机会读到，因为那时他早已回到辽远的故乡去了。

他动身的前两夜来看我，我们谈了好些话。我第二天早晨就要到杭州去，不能够送他上船，但我这晚上送走了他回到自己的房里，起了种种的感想，觉得很寂寞，便写了一封信寄给他，里面是些劝告的话。

从杭州回来我得到了他的信，这是一封长信，但是他已经在海行中的船上了。

他在信里说：

> 我知道我走了以后你的生活会更加寂寞，我知道我走后我的生活也会更加寂寞。我愿意我们大家都在一个地方，天天见面，然而这是不可能的。我们每个人都有我们的工作和责任……我以后也许会找到一些勇敢的朋友，然而我恐怕再找不到一个像你这样了解我的人了。

他还说他愿意听从我的劝告，改掉一切坏习惯，试来做一点实际的事情，他甚至答应我以后不再喝酒，答应我沈默地埋头工作五年或十年。最后他说我不送他上船很好，因为他也不愿意我看见他流眼泪。

他这人被好些人笑骂作傻瓜，被好些女性称为粗野的人，他几次徘徊在生命的涯沿上。没有动过一点心，如今却写了这样的信函。这友情给了我极大的感动。

以后他到了故乡寄过一封短短的报告平安的信。不久又寄来他以前在东京买的两本英文书，这是他早答应了送我的。我只去过一封短信。以后我们就没有再通信息了。

我知道他还活着，但我却不知道他现在活得怎样。

有一些人疑心张小川是我的另一个好友。那也是一个被我敬爱过的友人，我曾经与他合译过一部大书，他在我的过去生涯中有过大的影响。以后我还在《旅途随笔》里谈到他，因为有一次他从河南带了他自己教毕业的一班学生，来江浙一带参观，到了苏州那些学生却拿了教育厅和县里的津贴购买大批的香粉，预备回去打扮他们的妻子。不过《旅途随笔》印成单行本时，这一段却被我删去了。那是前年的事。

后来在去年正月他到北平来，我也在那里。我们常常会见，谈了不少的话。有一天我在一本他的新出版的著作的里封面上写了下面的两行字：

从××处拿来，因这书我和××又恢复了巴黎时代的友情。

慧　一九三四年二月在北平

我写一个“慧”字，因为那时候我刚刚给自己起了“王文慧”的笔名，开始在《罗伯斯比尔的秘密》了。我还和这友人同到过政治学会图书馆里去翻阅关于法国大革命的书籍。

但我在一九三二年写《雨》的时候，对他的行为的确很不满意。听说一个粗暴的年青朋友甚至想找个机会打他一顿。那个年青朋友就是被人误认作《雷》的主人公的人。他口里常常嚷着要打人，我却没有看见他动过一次手。不知道是不是因为他从来就没有过打人的机会。

我写张小川时，并不想责骂那个朋友，我憎恨的只是他的行为，并不是他本人。所以结果张小川就成了一部分知识分子的写照，而不单是我那友人了。张小川这类的人我不知道遇见过多少，只可惜在《雨》里面我写得太简略。

张小川的好友李剑虹很像《白鸟之歌》里面的那个前辈友人，但我希望他不是，我写《雨》在我写《白鸟之歌》以前。那时这位友人刚从欧洲回来，我对他抱着很大的希望。但我已经在耽心爱情会毁坏他的一切了。

郑玉雯和熊智君是三个小资产阶级的女性以外的两种典型，这两个女人都是有过的，但可惜我表现得不很真实，因为我根本不认识她们，而且我是根据了一部分的事实而为她们虚构了两个结局；也许破坏我的描写的真实性的就是这两个结局。所以我不妨说这两个女人是完全从想像中生出来的。否则一些读者想到那个抛弃女学生生活，跑进工厂去做女工，把自己贡献给一个理想，而终于走到一个官僚的怀里去的女郎，不知道会起何等的痛惜的感觉。

在《雨》里面周如水投黄浦江自杀了。单是一本《雾》已经使那个被单恋苦恼着的朋友“落到冰窖里面去了。”为什么我现在还要来加上一个这样的结局？是不是一定要把他推下那黑暗的深渊里去？不！事实上我的本意恰和这相反，我想用这个来把《雾》给那个朋友留下的不快的感觉去掉。其实他早已忘掉了那回事情，而且已经和一个女人同居了。我要用《雨》来证明周如水并不是他，所以《雨》里面的周如水的事情全是虚构出来的；不过像周如水那样的性格要是继续发展下去，得着那样的结局，也是很可能的事。我亲手杀死周如水，并没有一点留恋。然而他死了以后我却又禁不住伤心起来，我痛惜我从此失掉了一个好心的朋友。

《雨》出版过后不到一年我写了短篇小说《雷》。这是我从广东回来寄寓在北平一个新结婚的朋友家里的几天中间匆忙地写成的。这小说似乎结束得太快，有许多地方都被省略了，后来才在《电》里面补写出来。这样一来我就无意地在“爱情的三部曲”加进了一个小小的插曲。这应该放在《雾》和《雨》的中间。

我在《旅途随笔》的第一篇《海上的开端》曾写过

这样的话:

是五月的天气，一个晴明的早晨我离开了上海。那只和山东省城同名的船载着我缓缓地驶出黄浦江，向南方流去。时候是六点钟光景。

我是在前一晚上船的，有一个朋友同路。我们搭的是统舱，在船尾统舱上安放了帆布床。那晚上落过大雨，把我们的床铺都打湿了。有几个朋友来船上送别，其中有一个就留在船上和我们整整谈了一个夜晚，一直到天明开船时，他才跨着巨步上了岸，把他的颀长的身躯消失在码头上拥挤的人群里去了。这朋友是可爱的。虽然平日被我们称为粗暴的人，我们都知道他是憎厌女性的，但他那晚上却带了颤动的声音与我们吐露了他的心底的秘密——他的恋爱的悲剧。去年里先后有两个女性追逐过他，她们愿意毫无代价地把她们的爱情给他，却被他残酷地拒绝了。他这样做，他自己也很感到痛苦，可是他并没有一点悔恨，因为已经自己奉献给一个理想，他不能够再有一点个人的感情了。

这朋友的叙述引起了我的赞美。自然在我的朋友间像这样弃绝爱情的并不只他一个，但是也有不少的人毫不顾惜地让女人毁灭了他们自己，等到后来尝惯了生活的苦味，说出抱怨爱情的话语时，已经是太迟了。我对他说，我要写一本中篇小说，题名叫《雷》，朋友只是微微一笑，他的笑是带了一点苦涩味的。

在同书的《朋友》一篇里还有关于这个朋友的话：

世间有不少的人为了家庭就弃绝朋友，至少也会在家庭和朋友中间划了一个显明的界限，把家庭看得比朋友重过许多倍。这似乎是很自然的事情。我曾亲眼见过一些人结婚以后就离开了朋友，离开了事业，结果使得一个粗暴的年青朋友竟发生了一个十分奇怪的思想，说要杀掉一个友人的妻子以儆戒其余的女人。当他对我们发表这样的主张时，大家都取笑他。但是后来我知道了一件事实：这朋友因为这个缘故便逃避了两个女性的追逐。

因了这两段话，我的小说《雷》就被人认作这个朋友的写照了。这是一个误会。

《旅途随笔》的前一部分是在广州机器工会的宿舍和中山大学的生物研究室里写成的，那时候我白天到中山大学生物研究室去看蛙的生长或者跟着一个朋友研究罗广庭博士的“生物自然发生的发明，”晚上一个人走回河南到机器工会去睡觉。

我几次想提笔写那计划中的中篇小说《雷》，倘使我写的话，《雷》的主人公就会真是那个颀长的朋友了。但是那时我却写了替达尔文学说辩护的文章和罗广庭博士开玩笑，那笔锋也点到了《东方杂志》的编者的身上，所以我这文章便以“文笔太锐，致讥刺似不免稍甚，恐易引起误会”的理由被《东方杂志》拒绝登载了，而后来它在《中学生》月刊发表时又被《东方杂志》的编者托人去关说把那“文笔太锐”的地方删去了一两处，以后便没有引起误会。不过我的文章受凌迟之刑，以这为第一次。

后来我在北平写了《雷》，那时我的心情已有些改变，所以写出来的并不是中篇小说，而且也不是拿那颀长的朋友做模特儿了。

德这个人也许是不存在的，像他那样的性格我还没有见过。他虽然也有他的弱点，他虽然不能够固执地拒绝慧的引诱，但是他的勇气，他的热情，就像一个正在爆发的火山，没有东西能够阻止它，凡是拦阻着它的进路的都会被它毁掉。它的这种爆发的结果会带来它自己的灭亡。但是它决没有一点顾虑。这就像一些植物不得不开花一样，虽然明知花开以后，死亡就会跟着到来，但是它们仍然不得不开花。

德这个性格有时会叫人害怕，有时会叫人爱他，他的那样匆忙的死，实在叫人痛惜。慧和影爱他，这是很自然的事情。

德死了。可是老鹰一般的影子，到现在还在我的这张原稿纸上面盘旋。我写德时虽然知道并不是在写那个粗暴的年青朋友，但我仍然不能不想到他。我不但借用了他的两件事情，而且甚至在小说后面附加了下面的一段后记：

> 提笔时我本来想写一篇中篇小说，现在却写成了这样子，我最不安的是在一个混乱的情形下面枪毙了那个朋友。别的友人读这文章也许会生出种种误会。但那朋友，我想，是能够了解的。我希望将来能够在一部长篇小说里使那朋友复活起来。

后来《雷》被收进集子里面时这附记是被删去了。那时候我写了《电》，我说我是拿那朋友做模特儿来写了方亚丹。

平心说起来，德也有点像那个年青朋友。他有德的长处，也有德的弱点。他有热情，也有勇气。有人怕过他，也有人爱过他；有人责骂他，也有人恭维他。但是真正了解他的全面目的，恐怕只有我一个人罢。所以他和许多人好过而终于决裂，但我和他却始终不曾闹过一次架；我也不曾过分地赞扬过他。他不是德，唯一的理由就是他决不是一个像德那样的极端主义者。他的一切和德的比起来都只有一半。而且当我写这一段文章的时候我手边还有他的一封旧信，里面有着这样的话：

××来信向我诉苦，说她这三个月来为我而肺痛（她原也吐血，）苦得不堪，而且她用了使我不能完全了解的字眼警告我："如果以后有什么不幸的事情发生，我可没有责任了，因为我已把我的一切真情给朋友了。"朋友，竟有这样不幸的人间悲剧：我爱□□，她却要弄到我吐血。××偷偷地爱我，爱到自己生病，而我竟不知道。……

德决不会写出这样的信来，方亚丹也不会的。但是我们能够不为这样的信所感动吗？让我来祝福那个年青朋友早日恢复健康取得自己的幸福罢。

慧和影这两个女子一定是有的，但我一时却指不出她们的真姓名来。有人说慧是某人，影是某人，另一个人的意见又和第一个人的说法完全不同。我仔细想了一下，我说我大概是把几个人融合在一起，分成两类，写成两个女子。所以粗略地一看觉得她们像某人和某人，而仔细地一看却又觉得她们与某人和某人并不相像。

《雷》写成以后在《文学》一卷五号上面发表了。

过了一个多月我开始为第二卷的《文学》写作长篇小说《电》，预备这样来结束我的“爱情的三部曲”。

起初我的这小说的题名是《雪》，写了几章以后才改用了《电》这个名称。为什么要用一个“电”字？我的解释是：“《电》里面的主人公有好几个，而且头绪很多，它很适合《电》这个题目，因为那里面恰像有几股电光接连地在漆黑的天空里闪耀。”

这小说是在一个极其安舒的环境里写成的。我开始写前面的一小部分时，住在北平那个新婚的朋友的家里，在那里我得到了一切的方便，可以安心地写文章，后来另一个朋友请我到城外去住。我去了。他在燕京大学办事，住在曾经做过王府的花园里面。那地方很大，白天众人都出去办事了，我一个人留在那样宽阔的园子里，过了三个星期的清闲生活，这其间我还去过一次长城。但我毫不费力地写完了《电》。

我说毫不费力，因为我写作时差不多就没有停笔沈思过。字句从我的自来水笔下面写出来，就像水从喷泉里冒出来那样地自然，容易。但那时候我的激动却是别人想像不到的。我差不多把全个心灵都放在那故事上面了。我所写的人物都在我的脑里活动起来，他们和活人没有两样。他们生活，受苦，恋爱，挣扎，笑乐，哭泣以至于死亡。为了他们我就忘了自己的存在。好像不是我在写这文章，却是他们自己借了我的笔在生活。在那三个星期里面我无论在什么地方，都只看见那一群人，他们永久不息地在我的眼前活动，不让我有一刻的安息。

我的激动，我的痛苦，我的疲倦，恐怕只有那个请我来这里写文章的朋友知道。

我仿佛在参加一场大战，我好像一个将军在调动军队，把我的朋友（我自己创造出来的兵卒）一个一个地派遣到永恒里去。我写了雄和志元的处刑，我写了亚丹和敏的奇异的死。我写完了这小说。我差不多要哭了。隔岸观火的生活竟然是这么悲痛的。

小说写成后我先寄了前四章到《文学》编辑部去，后面的一部分是我自己回上海时带去的，到了上海我才知道这小说已经排好两章，但终于因了某种原因，没有能够发表。我便又把这小说带到北平去。我和两个朋友商量了一些时候，终于决定把它在《文学》季刊上面发表了。

我把《电》的内容稍微删改了一下，改动的地方很少，不过其中的人物凡在《雨》和《雷》里面现过身的都被我改了名字，我当时曾作了一个表，现在把它抄在这里：

佩珠——慧珠	仁民——仁山
志元——志成	剑虹——剑峰
陈真——天心	亚丹——继光
影——小影	慧——一萍

敏——炳　　　　碧——碧玉

德——宗　　　　能女士——洪女士

《电》在《文学》季刊上面发表的时候分作了上下两篇。题目改为《龙眼花开的时候》，另外加上个小题目——《一六二五年南国的春天》。作者的姓名变成了欧阳镜蓉，的确是一个陌生的名字。

在上篇的开始我引用了《新约·启示录》中的两段话：

我又观看，见一片白云彩。在云彩上坐着一位好像天子，头上戴着金冠冕，手里拿着快镰刀。又有一位天使从殿中出来，向那坐云彩上的大声喊着说：伸出你的镰刀来收割，因为收割的时候已经到了！地上的庄稼已经熟透了！那坐在云彩上的便把镰刀扔在地上，地上的庄稼就被收割了。

第十四章第十四至十六节

我又看见一个新天地，因为以前的天和以前的地已经过去了。海也不再有了。我又看见圣城新耶路撒冷，从天上上帝那里降下来预备好了，好像新妇妆饰好了等候丈夫。我又听见有大声音从宝座出来说：看哪！上帝的帐幕在人中间。他要和他们同住，他们要作他的民，上帝要亲自和他们同在，作他们的上帝。上帝也要擦去他们一切的眼泪，不再有死，也不再有悲哀，哭号，疼痛。因为以前的事都过去了。坐宝座的说：看哪！我将一切都更新了。又说：你要写上。因为这些话是可信的，是真实的。

第二十五章一至五节

后面注明——“一九三二年五月于九龙寄寓。”

在下篇的开始我从《新约·约翰福音》里引了下面的四节：

光来到世间，人因为他的行为不好，不爱光，倒爱黑暗。——凡作恶的便恨光，并不来就光，恐怕他的行为受责备；但行真理的必来就光。

第三章第十九，二十节

我是世界的光，跟从我的就不在黑暗里走，必要得着生命的光！

第八章第十二节

我到世上来，乃是光，叫凡信我的不住在黑暗里。若有人听见我的话不遵守，我不来审判他。我来本不是要审判世界，乃是要拯救世界。

第十三章第四十六，四十七节

我就是复活，我就是生命。信我的人虽然死了，也必活着；凡活着信我的人，必永远不死。

第十一章第二十五，二十六节

后面加了一个小注：——“这后面本来还有一章结尾，现在被作者删去。下篇到这里便算完结。”最后面注明——“一九三三年十二月于九龙。”

这些都不是真话。我故意撒了谎使人不会知道这小说是我的作品。这种办法在当时似乎是需要的。至少有两三个朋友这样地主张过。至于“结尾”呢，这小说本该有一个结尾，不过我没有机会把它写出来，写出来也不能担保就可以和读者见面，所以我索性不写了。其实这小说也可以就这样完结的。也许会有人说这不能完结。然而生命根本没有完结的时候。个人死了，人类却要长久地活下去。

我常时要使读者相信欧阳镜蓉是一个生长在闽粤一

带的人，《龙眼花开的时候》是费了一年半以上的时间在九龙写成的一部小说，我甚至用了“竟蓉”这个名字写了一篇题作《倘使龙眼花再开时》的散文，叙述也写这小说的经过。这散文我没有编进别的集子里去，但我很爱它，而且它和《电》也有密切的关系，所以我也把它录在下面：

从先施公司出来，伴着方上了去铜锣湾的电车。

“到上面一层去罢，今天破个例，”我微笑地对方说。

方知道我的意思，他便不说什么话，第一个登了梯，我跟在他的后面。

我们两个坐在一把椅子上，我把肘靠着车窗，看下面的街景。

“蓉，你的小说写到多少页了？”方忽然这样问我。

“还只有你看见过的那些，这几天简直没有动笔，”我不在意地回答着，我依旧看望下面的街景。

“你的小说打算发表吗？”

“我不敢存这野心，”我一面说，一面掉头惊讶地看他，因为我觉得他的声音有些异样。

“你不应该把我写成那样，你不了解我？”他辩解似地说。

“我的小说还没有写完呢！后面的结局你是不

会想到的。但是你应该相信我，我不会不了解你。”

“那么我等着读你的文章罢……”他微微一笑，在这笑中我看见了宽恕。方先前还以为我误解了他，现在他却把我宽恕了。

在这次谈话以后两天方便走了。动身的前夜他自己送了一封信来，那里面有着这样的话：

“我知道我走后你的生活会更加寂寞，我知道我走后我的生活也会更加寂寞，以后我也许会找到许多勇敢的朋友，但是恐怕再找不到一个像你这样了解我的人了。”

他甚至说他愿意听从我的劝告，改掉一切坏习惯，试来把一个过重的责任放在他的肩上。最后他说他不愿意我送他，因为他不肯让我看见他流眼泪。

方，那个大孩子，他曾几次徘徊在死的涯沿上，没有动过一点心，他被好些女性称为粗野的人，如今却写了这样的信。这友情给了我极大的感动。

我在孤寂里继续写我的这部小说。我拿这来销磨我的光阴。我写得很慢，因为我的生活力就只剩了这一点。

龙眼花开的时候惠来了，她住在朋友家里，每天总要过海来看我一次，她看见我努力写小说，就嘲笑说：“你在给我们写历史吗?”

写历史，我的这管笔不配。这倒使我觉得自己太冒昧了。我便分辩说："为什么要写历史？我们都还没有把脚踏进过去里面呢！"这时候我已经忘却我是一个垂死的人了。

惠翻看我的小说，她看见慧珠，看见小影，看见仁山，看见所有的人，她的脸上露着温和的笑容，仿佛就和朋友们在一起生活一般，这些人都是她的好朋友。

"蓉写下去罢！"惠这样鼓励我。她同时却责备说："只是你不应该把我也写进去，一萍不像我！"她的责备里没有一点怒气。我知道她喜欢这小说，因为它给她引起了不少甜蜜的回忆。

"这只是一些回忆，不是历史，我们的历史是要用血来写的。"她终于掩了我的稿本，微微叹一口气，说了上面的话。

惠在对面岛上住了不到一个月，便抛下我走了。她有她的工作，她不像我，我是一个有痼疾的人。我不能够拿我的残废的身体绊住她。

"蓉，你多多休息，小说慢慢地写，明年龙眼花再开时，我就来接你回到我们那里去。"我送惠到船上，烟囱叫了三叫，她还叮咛地嘱咐我。她明白我的心很难把这离别忘掉。她的两道细眉也微微皱了。

应该走的人终于走了。他们用他们的血写历史去了。我一个人孤寂的留在这租借地上，用病和小说来排遣日子。

方去后没有信来，只寄了我两本书。惠也没有信。我知道这是他们的习惯。我知道他们一定比我活得更痛快。

龙眼花开了，谢了。连果子也给人摘光了。我的身体依旧和从前一样。在这中间我缓慢地，几乎是一个字一个字地写着，我终于完成了我的小说，写到雄和志成的处刑，写到继先和炳的奇异的死。我仿佛像一个官长在调动军队，把这些朋友都差到永恒里去。写完这小说我忍不住伏在案上伤心地哭起来，如今我是一个隔岸观火的旁观者了。

像一个产妇把孩子生出来，我把我的血寄托在这小说里面。虽然我已经是一个垂死的人，但我的孩子会活下去的。我把他遗留给惠，让她去好好培养这孩子罢。

我的身体是否还能够支持到明年春天，我不知道，然而倘使龙眼花再开放时，我还能够看见惠，那么我一定要离这寂寞的租借地。我还记得惠常常唱的那一句话：

“我知道我活着的时间不会多了，我就应该活它一个痛快。”

一九三三年除夕于九龙

这文章所写的事实全是虚构。只有关于方的一段有点根据。方就是高志元，那真实的事情我已经在前面叙说过了。惠和慧是一个人，但她究竟是不是某一个朋友，我自己也说不出来。

总之这文章的写成与发表，虽有一种烟幕弹的功用，然而横贯那全文的情调却极似我写作《电》时的心情。所以它依旧是一篇真挚的作品。从它，读者也可以看出我当时的苦痛的心情来。

《电》固然是“爱情的三部曲”的最后一部，它不仅是《雨》的续篇，它还是《雷》的续篇。有了它，《雷》和《雨》才能够发生关系。《雨》和《雷》的背景是两个地方，《雨》里面所描写的是 S 地的事情，《雷》的故事却是在 E 地发生的。两篇小说的时代差不多，《雨》的结束时间应该比《雷》稍微迟一点。周如水在 S. 地投江的时候，德已经在 E 地枪杀了。

《电》和《雷》一样也是在 E 地发生的事情，不过时间比《雷》迟了两年多。在时间上《电》和《雨》相距至多也不过两年半的光景。在《电》的开始贤对李佩珠说：“你到这里来也不过两年多。”在《雨》的末尾，高志元，方亚丹两人到 E 地去时，李佩珠对他们说过，希望他们能够在那里给她找到一个位置。也许他们到了 E 地后不久就把她请了去，这是很可能的。这样算起来，从《雨》到《电》中间就要不了两年半的时间。

但在这两年半中间，我们可以看见李佩珠大大地改变了，吴仁民大大地改变了，高志元也有些改变了，至少他的肚皮不痛了。方亚丹没有大的改变，慧和两年半以前的她比起来也没有什么差异，但是敏却完全成了另外一个人，影也有了大的进步。

这可祝福的两年半的时间，正如仁民所说“现在的社会是一个洪炉”呵！

关于《电》我似乎有许多话想说，但是这里却又不便把它们全说出来。这本书是我的全部作品里面我自己最喜欢的一本，在“爱情的三部曲”里面，我也最爱它。

《电》不能说是以爱情做主题的，它不是一本爱情小说，它不能说是以革命做主题的，它也不是一本革命小说。同时它又不是一本革命与恋爱的公式小说。它既不写恋爱妨害革命，也不写恋爱帮助革命。它只描写一群青年的性格，活动与死亡。这一群青年有良心，有热情，想做出一点有利于大家的事情，为了这他们就牺牲了他们的个人的一切。他们也许幼稚，也许常常犯错误，他们的努力也许不会有一点效果。然而他们的牺牲精神，他们的英雄气概，他们的洁白的心却使得每个有良心的人都流下感激的眼泪。我称我的小说做《电》。我写这本《电》时，我的确看见黑漆的天空中有许多股电光在闪耀。

关于《电》里面的人物我不想多说话。这部小说和我的别的作品不同，这里面的人物差不多全是主人公，都占着同样重要的地位，而且大部分的人物，都不是实生活里面的某人某人的写照，我常常把几个朋友拚合在一起造成了《电》里面的一个人物。慧是这样造成的，敏也是这样造成的。影和碧，克和陈清，明和贤，还有德华，都是这样地造成的。但我们似乎也不能够因此就完全否认了他们的真实性。

李佩珠这个近乎健全的性格，须得在结尾的一章里面才能够把她的全部长处，完全地显露出来，然而结尾的一章，一时却没有机会动笔了。这个妃格念尔型的女性，完全是我创造出来的。我写她时，我并没有一个模特儿。但是我所读过的各国女革命家的传记，却给了极大的帮助。

吴仁民做了李佩珠的爱人，这个人似乎一生就离不掉女人。在《雾》里面他有过瑶珠，在《雨》里面他有过玉雯和智君；现在他又有了佩珠。但他已经不是从前的吴仁民了，这就是说他不再是我的那个朋友的写照，他自己已经构成了一个独立的人格，获得了他的独立的存在，而成为一个新人了。

高志元也许可以说是不曾改变，他不过显露了他的另一面，但是他的健康的恢复会使人不大认识了。

我说过我是拿了那个瘦长的年青朋友做模特儿写了方亚丹的。方亚丹和德不同，方亚丹不像一座正在爆发的火山。虽然慧说他粗暴，其实他不能算是一个粗暴的人，那朋友还比他粗暴得多。那朋友对女人的态度是充满着矛盾的。我知道他的内心激斗得很厉害。他在理智上憎恨女人，感情上却喜欢女人。所以有人在背后批评他：口里骂女人，心里爱女人。他不仅这样，他和别人争辩不胜的时候就常常拉我去做他的挡箭牌。同样他的对手也拉了我去对付他。所以有时候会有人从远的地方写信来征求我对于恋爱的意见。有一个朋友因为被那年青朋友骂得没办法了，曾经写过一封长信来报告他的恋爱的经过，要我下一个判断。因了那年青朋友的行动，在外面就起了一个传说：我和他还同一个广东朋友，就是在济南轮船的甲板上谈了一夜的我们三个人，组织了一个反对恋爱的三人团①。我第一次听见这传说还是从他自己的嘴里听来的。那时他告诉我，他已经在秘密地讲恋爱了。所以最近还有人问我："三人团里面已经有两人破了戒约，你现在怎样？"我只是笑笑罢了，因为

---

① 我们三个人的确在一起反对过那个被写作《白鸟之歌》的主人公的前辈友人的恋爱事件。

我根本就不知道三人团的事情。

这些事方亚丹是不会做的。方亚丹高兴的是和小学生在一起，或者忙着去养蜂。这事情那个朋友却也高兴做。所以当我看见他和小学生在一起玩耍，或者忙着换巢礎毁王台，在蜜蜂的包围中跑来跑去的时候，我便禁不住像李佩珠那样地奇怪起来：“他这个粗暴的人怎么可以和蜜蜂和小学生做好朋友?”

那个瘦长的朋友的确和方亚丹一样是一个有孩子的心的人。我枪杀了方亚丹，我很悲惜失掉了这样一个可爱的友人。但那瘦长的年青朋友还活着，听说他已渐渐克服了肺病。那么我祝他能够早早回到他的蜜蜂和小学生中间去。

慧这个人我自己也很喜欢。她那一头狮子的鬃毛一般的浓发还时时在我的眼前幌动。她不是一个健全的性格。她不及佩珠温柔，明白，坚定；不及碧冷静；不及影稳重；不及德华率真。但她那一泻千里般的热情却超过了他们大家，她比她们都大胆。她被人称为恋爱至上主义者，而其实她的性观念是很解放的。

“我知道我活着的时间不会多了，我就应该活它一个痛快。”她常常唱的这一句话给我们暗示了她的全部性格。

敏和慧相爱过，但自由性交主义者的慧是没有固定的爱人的。敏爱过慧，现在还在爱慧，不过现在他已经把爱情看得很轻了。他这个人在两年半中间变得最多，而且显露了一点精神异常的现象，使他带了病态地随时渴望着牺牲。他正如佩珠所说是一个太多感情的人，终于被感情毁了。他为了镇静那感情，就独断地一个人去做了那件对于人家都没有好处的事情。

陈清这个典型是有模特儿的。那是我的一个敬爱的友人，他现在还在美国作工。他的信仰的单纯与坚定，行动的勇敢与热心，只有和他认识的人才能够了解，陈清的最后的不必要的牺牲，在我那朋友的确是很自然的事情。这事情从吴仁民一直到敏，他们都不会做。但陈清做出来却没有一点不合情理的地方。这与他的性格很相合，不过这个典型的真实性恐怕不易为一般年青读者所了解罢。

贤这个孩子也是有模特儿的，但是不只一个。我几年前在一个地方看见他常常跟着“碧”东跑西跑，脑里留了一个印象。然而我那时所看见的却只是他的外表，（不是面容，贤的面容是从另一个孩子那里借来的，）所以后来写贤时，我也是把几个人拼起来写的。不知道怎样我自己非常喜欢这个孩子。

关于《电》，可以说的话都说出来了。该说的话似乎还有，但我也不想说了。我于是合了那本摊开在我手边的《电》。我这样做了以后，我的眼前就现出了李佩珠的充满着青春的活力的鹅蛋形的脸，接着我又看见被飘散的黑发遮了半个脸庞的慧。我的心因了感激，因了鼓舞而微微地颤动了。我的灵魂被一种崇高的感情沐浴着，我的心里充满着那献身的渴望。恰恰在这时候我的眼前显现了两张信纸，这是我想答覆而终于没有答覆的一封信，所以我平日就把它夹在《电》里面。

我很久就想给先生写一封信了，很久很久！先生的文章我真读过不少，那些文章给了我激动，痛苦和希望，我老以为先生的文章是最合于我们青年人的，是写给我们青年看的。我有时候看到书里的人物活动，就常常梦幻似的想到那个人就是指我！那些人就是指我和我的朋友，我常常读到下泪，因为我太像那些角色，那些角色都英勇的寻找自己的路了，我依然天天在这里受永没有完结的苦。我愿意勇敢，我真愿意抛弃一切细束我的东西呵！——甚至爱我的父母。我愿意的真的"生活"一下，但现在我根本没有生活。

我是个大学低年级生。而且是个女生，父母管得我像铁一样，但他们却有很好的理由。——把我当儿子看，——他们并不像旁的女孩的父母，并不阻止我进学校，并不要强行替我订婚，但却一方要我规规矩矩挣好分数、毕业，得学位、留美国；不许我和一个不羁的友人交往。在学校呢，这环境是个珠香玉美的红楼，我实在看不过这些女同学的样子，我愿找一条出路，但是没有！这环境根本不给我机会，我骂自己，自己是个无用无耻的寄生虫，寄生在父母身上，我有太高太高的梦想，其实呢，自己依然天天进学校上讲堂，回家吃饭以外，没有半点事，有的男同学还说我“好，”其实我比所有的女生更矛盾。

先生！我等候你帮助我，我希望你告诉我，在我这种环境里，可有甚么方法挣脱？我绝对相信自己有勇气可以脱离这家，——我家把他们未来“光耀门楣”的担子已搁了一半在我身上，我也不愿承受，——但脱离之后，我难道就回到红楼式的学校里？我真没有路可去，先生！你告诉我，用什么方法可以解除我这痛苦？我读书尽力的读，但读书只能使我更难受，因为书里讲着光明，而我只能远望着光明搓手。我相信书本子不能代替生活！我更不信大学生们组织讨论会，每星期讨论一次书本子就算完成了青年的使命！谁知道我们这讨论又给旁人有什么补益呢？只是更深的证明了我们这群东西早就该死！

先生，帮我罢，我等待你的一篇新文章来答覆我。请你发表它，它会帮助我和我以外的青年的。

你的一个青年读者

这个“青年读者”不但没有告诉我她的真实姓名，她甚至不曾写出通信地址，使我没法寄信给她。她要我写一篇新文章来答覆她，事实上这样的文章我已经计划过了，这是一本以一个女子做主人公的《家》①，写一个女子怎样经过自杀，逃亡……种种方法，终于获得求知识与自由的权利，而离开了她的在崩颓中的大家庭。这是一个真实的故事。这样的一本书写出来对于一般年青的读者也许有点用处。但是多忙的我，什么时候才有机会来写它，连我自己也没有把握。我三年前就预告了要写一部《群》。直到今天才动笔写了三页。另一本《黎明》，连一个字也没有写。明天的事是没有人能够知道的。说不定我写完了这文章就永远地搁了笔。说不定我明年又会疯狂地写它一百多万字。但我不能够再给谁一个约言。那么对于那个不知道姓名的青年读者，就让我把李佩珠介绍给她做一个朋友。希望她能够从李佩珠那里得到一个答覆。

为了这三本小小的书，我写了两万以上的字。近来

① 这就是最近出版的《春》。

我颇爱惜自己的笔墨，不高兴再拿文章去应酬人。这一次我却自动地写了这么多的字，这也许是近于浪费罢。然而我在这里所写的都是真实的话，都是在我的心里埋藏了许久的话。我很少把它们对别人倾吐过。它们就像火山里的喷火，但是我用雪把火山掩盖了。

我自己这个人就像一座雪下的火山。在平静的表面下，我隐藏了那么强烈的火焰。别人只看见雪，只有我自己才知道火，那火快把我的内部烧尽了。我害怕，我怕将来有一天它会爆发。

这是我的灵魂的一隅，我以前不曾为任何人开放过，但是现在我开始慢慢地启这门了。

那么我就索性把我两年前写的一段自剖的话引用在这里来作我这文章的收尾罢。

一个人对自己是没有欺骗，没有宽恕的。让我再来打开我的灵魂的一隅罢。在夜里，我常常躺在床上不能够闭眼睛，没有别的声音和景象来缠绕我。一切人世的荣辱毁誉都远远地消去了。那时候我就来做我自己的裁判官，严刻地批判我的过去的生活。

我的确犯过许多错误了。许久以来我就过着两重人格的生活。在白天我忙碌，我挣扎，我像一个战士那样摇着旗帜呐喊前进，我诅咒敌人，我攻击敌人，我像一个武器，所以有人批评我是一副机械。

在夜里我却躺下来，打开了我的灵魂的一隅，抚着我的创痕哀伤地哭了，我绝望，我就像一个弱者。我的心为了许多事情痛楚着，就因为我不是一副机械。

“为什么老是想着那憎恨呢？你应该在爱字上多用点力量。”一个熟识的声音在我的耳边响起来了。

在过去我曾被视为憎恶人类的人，我曾宣传过憎恨的福音，因此被一些人把种种错误的头衔加到了我的身上。为了那恨，我曾求过凡宰地宽恕，因为他教过我爱；为了那恨，我曾侮辱了克鲁泡特金，因为我使人误解了他的学说，那憎恨所带给我的苦痛确实是太多太多了。……

许多人指摘过我的错误了。有人说世界是应该用爱来拯救的。又有人说可憎的只是制度不是个人。更有些人拿了种种社会科学的术语来批评我的作品。他们说我不懂历史，不懂革命。他们说这一切只是没落的小资产阶级的悲哀，他们说不能够体验实生活。

我也曾将这些批评仔细考察过。我并且早已用事实来回答了他们：我写过十三四万字的书来表示我的社会思想，来指示革命的道路，我在许多古旧的书本里同着法俄两国人民经历过那两次大革命的艰苦的斗争，我更以一颗诚实的心去体验了那种种多变化的生活。我给自己建立了一个坚强的信仰。从十五岁起直到现在我就让那信仰指引我。

我是浅薄的，我是率直的，我是愚蠢的，这我都承认。然而我却是忠实的，我从不曾让雾迷了我的眼睛，我从不曾让激情昏了我的头脑。在生活里我的探索是无休息的，无终结的。我不掩饰我的弱点，但我不放松它，我极力和它挣扎，结果就引起了一场斗争。这斗争是激烈的，为了它我往往熬尽了我的心血，而我的矛盾就从此产生了。

我的生活里是充满了矛盾的。感情与理智的冲突，思想与行为的冲突，理想与现实的冲突，爱与憎的冲突，这些织成了一个网，把我合在这里面，它把我抛掷在憎恨的深渊里，让狂涛不时来冲击我的身体。我没有一个时候停止过挣扎，我时时都想从那里面爬出来，然而我始终不能够弄破那矛盾的网，那网把我缚得太紧了。……没有人能够了解我，这因为我自己就不肯让人了解……人只看见过我的笑，却没有人知道我是整天拿苦痛来养活我自己。

我的憎恨是盲目的、强烈的、普遍的。我常常把所憎恨的对象描画成一个可憎的面目，我常常把我所憎恨的制度加以人格化，使它变成了一个极其可恨的人，我常常把我的爱极力摧残使它变成憎恨。

然而我的这种努力依旧没有大的效果。

这一切在别的人看来也许全是不必需的，他们也许会以为我是被雾迷了我的眼睛。其实这全不是。我很知道我不过是一个过渡时代的牺牲者。我不能够免掉这一切，完全是由于我的生活的态度。我是一个有血有肉的青年，我生活在这黑暗的混乱时代里面。因为忠实：忠实地探索，忠实地体验，就产生了种种的矛盾，而我又不能够消灭它们。我固然有一个坚强的信仰，但我却不是像克鲁泡特金那样纯洁完全的人，或像奈其亚叶夫那样意志坚强到了极点的人；我只是一个极其平凡的青年。

我的一生也许就是一个悲剧，但这是由性格上来的（我自小就带了忧郁性，）我的性格就毁坏了我一生的幸福，使我在苦痛中得到满足。有人说过革命者是生来寻求痛苦的人。我不配做一个革命者，但我却做了一个寻求苦痛的人了。我的孤独，我的黑暗，我的恐怖都是我自己去找来的。对于这我不能够有什么抱怨。

我承认我不是健全的，我不是倔强的，我承认我已经犯过许多错误。但这全不是我的思想：我的信仰的罪过。那责任应该由我的性格，我的感情来负担。也许我会为这些错过而受惩罚。我也决不逃避。自己种的苦果就应该自己来吃。这并不是我一个人的命运。做了这过渡时代的牺牲者的并不是我一个人。我甚至在像马·拉丹东，罗伯斯比尔，柏洛夫斯加亚，妃格念尔这般人中间发见和这类似的悲哀，虽然他们的成就是我万不敢想望的。

然而不管这些错误，我依旧要活下去，我还要受苦，挣扎，以至灭亡。

那么在这新年的开始就让我借一个朋友的话来激励自己罢：

“你应该把你的生命之船驶行在悲剧里（奋斗中所受的苦痛，我这样解释悲剧，）在悲剧中振发你的活力，完成你的创造。只要你不为中途所遇的灾变而覆船，则尽力为光明的前途（即目的地）而以此身抵挡一切苦痛，串演无数悲剧，这才算是一个人类的战士。”①

一九三五年十月二十七日写完

① 见《文学》二卷一号新年试笔二，用“比金”的笔名发表。

雾

一

夜来了，是海滨的一个静寂的夏夜。

海水静静地睡着，只有些微的鼾声打破夜的单调。灯塔里的光亮在黑暗的水面上微微抖着，显得是太渺小了，孤独的维持着它的那种惨淡的生存。

离海有里多路远近，是那荒凉的街市，在夜晚更是寂静了。虽然是夏夜，但夜晚从来就很凉爽，海风微微吹着，把日间的热气都驱散了。使那些白日里奔波忙碌的人可以安静地睡下来。也有些人不忍辜负这凉爽的夜，便摆了椅子在门前，和邻居们闲谈着他们生活里的种种事情，而最惹起他们注意的便是那一所新式建筑的海滨旅馆。

这四层的旅馆孤零零的高耸在那些邻近的简陋的矮屋上面，显然是位置在不适宜的地方。它骄傲地俯瞰着那些矮屋，而且以它的富丽的装饰，阔绰的住客和屋前的花园向它们夸耀。

在夜里和在白昼一样，这旅馆和那些矮屋依然是形成了两个阶级，过着两种不同的生活。在旅馆里灯烛辉煌，人们往来，似乎比在白昼更显得活跃了。

一辆汽车在旅馆的大门前停住，车夫下来开了门，一个瘦长的青年弯着身子从车里走出来，立定了身子带着好奇的眼光向四处看望，似乎有点奇怪：这样的旅馆竟然位置在如此荒凉的街市中间。

从旅馆里走出来两个侍役，都带了恭敬的笑容，一个从车夫手里接了那两件并不很重的行李，一个领着青年慢慢地走过那微微润湿的草地，向里面走去。

踏上了石阶那青年昂然走进厅内，不几步便看见一个年青女子从楼梯上走下来，穿的是白夏布短衫和青裙子。她有一张丰腴的脸，白中透红的皮肤，略高的鼻子，和一对星一般明亮的大眼睛，左眼角下嵌着一颗黑痣，嘴边露着微笑。

他望着她，呆了一下，过后就惊喜地叫起来！

"密斯张。"

她马上停了脚步转过身子惊讶地把他望了望，忽然微微张开嘴，嘴唇一动，她微笑了，便迎着他走来，眼睛光闪闪地问道：

"周先生吗？几时回来的？"

"快有一个星期了，"他愉快地回答着。"我去看剑虹，说要到这里来小住一些时候，他说密斯张也在这里，要我来看看你，想不到一到这里就遇见了，真巧得很。”

“是的，真巧。我也想不到周先生会到这里来。剑虹先生前两天有信来也不曾提到周先生回国，所以我不知道，”她歇了歇，不停地用她那光辉的眼看他，态度很大方。他还来不及想到适当的话语时，她又接着说下去：“我打算在这里住过这个暑假，顺便温习功课。今年我不回家去。一个人住在这里虽然清静，只是读书没有人指导也不方便。现在周先生住在这里我便可以常常向周先生请教了。”她的脸庞上笼罩着一道喜悦的光彩。显然是她很高兴这次的意外的会面。她的家是在邻近一个城市里，搭小火轮去只有一天的路程。所以她说了今年不回家的话。

“密斯张，你太客气了，我哪里配说指教人？我们在一起研究就是了，”他谦逊地说着，心里很高兴。

“我说的是真话，倒是周先生太客气了。以后请教的地方多着呢！”她还想说下去，忽然瞥见那两个侍役，一个提了行李，一个垂着双手，都恭敬地直立在旁边带笑地看他们两个说话，她便觉察似地说：“周先生的房间定了吗？我现在不打搅周先生了。……我就住在二楼十九号房间，周先生有空请来玩。”她说着和他点了点头，就走进旁边的一间题着“阅报室”的屋子去了。

这里周如水也对她点了点头，带笑说：“等一会把房间弄好，就过来看密斯张，”于是跟着侍役上了楼。

在三层楼上一个房间的门前侍役停住了，那个空手的侍役掏出了钥匙开了门让周如水进去，接着另一个侍役也提了箱子进来。

“就是这个房间，周先生看中意吗?”那空手的侍役这样说了，又接着说一些形容这房间的优点的话，便抬起恭敬而急切的脸静候着他的回答。

周如水向四面看了一下，觉得这房间大小还中意，陈设也过得去，便点头答道：“还可以。”他看见窗户大开着，便走过去从窗户望外面，远远地是一片黑暗的水，一线灯光在水面荡漾。凉爽的空气迎面扑来，他觉得十分爽快，抬头去望天空，满天的星斗在摇晃。他又把头埋下去看，从各个窗户里透出来的灯光正照耀在草地和矮树上。

“这个很不错!”他于是回过头来向侍役称赞了一句，又问：“这是多少号房间?”

“三十二号，”侍役得意地答道。这时那个提行李的侍役已经走出去了。

“先生没有用过晚饭吗?”侍役又问。

“吃过了。你给我弄点茶来罢，”周如水说，就脱下他的太阳呢西装上衣往衣架上挂去。

那侍役答应了一个“是”字，往外面走了。

房里剩下周如水一个人。他望着那五十支烛光的电光灯，慢慢地嘘了一口气，又把眼光移上去看画得有花卉的方灯罩，于是在那把有着白布套的躺椅上坐下去，庆幸似地自语道：“在这里该可以有一些时候的安宁了，一定要有一点好的东西写出来才好。”他微笑地闭了眼睛来体会这安静的快乐，而那白衣青裙的影子却突然闯进他的眼帘来。

一年前的印象浮上了他的脑海。那时他从日本回来，在他所尊敬的前辈友人李剑虹的家里遇见了一个使人一见就起了新鲜的感觉的女郎，就是这白衣青裙的装束，虽然很朴素，却有着超于那般艳装女子以上的吸引力。她那一双明朗的大眼睛照亮了她的全个安排得很适当的脸庞。同时她的一举一动都保留着少女的矜持和骄傲。近几年来他的头脑里装满了不少日本女子的面影，那些柔媚得好像没有骨头，娇艳得好像没有灵魂的女性，是看得够多了。出乎意外的，他发见了这样的一个女人。于是他带着好奇的、景慕的、喜悦的感情和她谈了一些话。她的思想又是那么清楚，使他十分佩服。分别的时候，她和他不过见过两三面，而她的姓名就深深地刻印在他的脑里了，这是三个美丽的字：张若兰。

以后在东京的一年中间他并没有忘记这个美丽的名字，他常常回忆起她那明眸皓齿的面庞，就仿佛在黑暗里看见一线光亮。他好几次想写信给她，而且已经开始写过了，但终于不曾写好一封。她也没有信来。他很想知道她的消息，他鼓起了绝大的勇气，才在给李剑虹的信里，附加了一句，问到她的近况。那个前辈的友人似乎不知道他的心理，虽然在回信里把她赞扬了一番，却把她形容做一个高不可攀的女人，这反而把他的勇气赶走了。他以后也就再不曾提起过这个名字。

但是如今他却在这里见着了她，而且是同她住在一个旅馆里。以后他每天都有机会看见她，她还说过求他指教的话。

他这样想着，快乐从心底升了起来，渐渐地膨胀着，使得他的全个身子因发热而颤抖了，他静静地在躺椅上坐了一些时候，后来实在忍耐不住站起来在房间里踱了一会，便急急走出房门，往二楼下去了。

他毫不费力地找到了十九号房间。他怀着一颗跳动的心站在那门前。他并不即刻敲门进去，他迟疑了一些时候，才把两根指头在门上轻轻敲了两下。房里的脚步声响了，他连忙往后退一步。房门打开，射出一股绿色的光。她出现了，蒙着淡淡的绿光，她的全个身子带着一种异样的美，两只晶莹的眼睛射出愉悦的光彩，在他的脸上盘旋。

“请进来罢，”她笑着说，微露出一排白玉似的牙齿。她退后一步，身子往旁边一侧，让他进房去。

一盏绿色灯罩的桌灯放在一张小小的写字台上，桌子前有一把活动椅，周如水在椅上坐下后，略一掉头，就瞥见桌上那本十六开本的妇女杂志，是新出的一期，上面正载有他写的两篇童话，而且编者在《编辑余谈》中还写了过分推崇的语句，说他是留日的童话专家。现在他在她的写字台上发见这杂志，仿佛觉得她已经读了自己的文章，并且加以赞美，于是脸上浮出得意的微笑，不觉把杂志接连看了几眼。

她好像知道他的心理似的，马上笑着说："这杂志已经读过了。是因为在报上看见广告，知道有周先生的文章，所以特别买来看的。周先生的文章真好！"

他听了这样的赞语，心里虽然很高兴，脸上却做出不敢承受的样子，略略羞惭地谦逊道："不见得罢。不过是一时胡乱写成的，真不值得密斯张一读呢！"同时他却暗地悔恨自己为什么写作得那样慢，不曾多写几篇出来。这样想着，他的脑里浮出了新近写成的那一篇短文的大意，觉得如果把这意思向她表白了，也许她会更了解他，赞美他罢。

他正要开口，但看见她的平静而矜持的笑容，他又觉得自己的勇气渐渐在消失了，似乎这些意思她已经知道了，说出来反会使她非笑他的浅薄。不过话快说出口又不好收回去，便改口问道："密斯张喜欢童话吗？"

"是，"她微笑地回答。"读了童话就好像回复到童年时代去了，有时候甚至忘了自己是成人，仿佛真个做了孩子。而且周先生写的童话可说是美丽的散文诗。离我们成人比较更近一点，所以我更喜欢。”

这一来便鼓舞起了他的勇气，他终于用力说出他想说的话：“密斯张的话真不错。我以为童话便是从童心出发以童心为对象而写作的一种艺术。这童心记得有人说过共有七个本质，就是：真实性，同情心，惊异力，想像力，求知心，爱美心，正义心。我以为这话并不错。这几种性质儿童具有得最完全，而且也表现得极强烈的。童心之所以可贵，就是因了有这几种性质存在的缘故。因此我便主张童话不仅是写给儿童读的，同时还是写给成人读的，而且成人更应该读，因为这可以使他们回复到童心。童心生活的回复，便是新时代的萌芽。”说到这里，他变得很激动了。一方面他想把他的思想在她前面表现的更伟大，更美丽，使她更看重他，一方面他这时候，确实真挚地感到一切社会的问题解决都在于童心生活的回复。于是一种含糊的崇高的感情鼓动着他，使他的瘦长的脸上现出光彩，而变得美丽了。他仿佛在对着一群崇拜他的听众作一次慷慨激昂的演说一般。

在脑里还留着他的谦逊而温和的面貌的张若兰，这时候奇异地发见了他的另一种面貌，她并不注意地听他的话，只顾出神地看他。但并不显出痴看的样子，依旧留着矜持的笑容，所以他也不觉得。

他说完，马上又变得很谦逊了。他甚至畏怯地等着她的回答，好像在学校读书的时候等教师报告成绩一般。

她觉得他的像珠子滚得那样急的声音忽然止住了。房里马上恢复了静寂，没有一点声音，她警觉起来，对他点着头接连地说："周先生的意思很不错。"其实她并没有完全听清楚他的话，而且也不曾去思索判断他的见解是否正确，不过她相信他多少是有理由的。

看见她表示赞同自己的意见，他变得更高兴了，便继续说："我近来新写了一篇题作《童心生活的回复》的文章，就发挥这意思。剑虹已经看见过了，改天再送给密斯张看，请密斯张批评。"他说了，又露出那捺不住的孩子似的满足的微笑。

"这倒可以不必，"她带笑地答道。"既然剑虹先生看过，那一定很好。我只希望它早点在杂志上印出来，大家可以看。我想等着它的人一定很多。"

于是两人又谈了一些关于文章和思想的话，房里那一架挂钟突然响了，沉重的金属的声音在静夜的空中荡漾着，恰恰响了十下，周如水虽然还想再在这房里留一些时候，但一想到夜已经不早了，似乎应该让她休息才是，便下了决心告辞出来。张若兰还把他送到门口。

周如水回到自己的房里，心里很暖热，脸上还浮着笑容，耳边也留着她的清脆而柔软的声音，他便在躺椅上坐下来，望着电灯罩，回想着她的容貌和举动。

甚至她说话时怎样微微偏着头，怎样常常玩弄着衣角，怎样把一双大眼望着他的眼睛，怎样把肘压在靠背椅上垂着眼皮半羞涩地看自己的裙子；这一切他都回想遍了，有些甚至是先前他不曾注意到的，如今都恍然记忆起来了。

他又把头埋下去往四周看，觉得自己的房间布置得没有她的那样好，虽然她的房里并不比自己的多些什么东西。这样想着，他又嫌自己的房间太冷静了，太寂寞了。她的房里是那么温暖。

他又想明天怎样见她，怎样和她谈话，以后他们的友谊又怎样亲密起来，以及以后的种种事情。但忽然他又记起友人陈真的话，于是失笑地自语道："怎么我一见面就和她谈思想，谈童话，为什么不谈些更有趣味的事情？这样好的机会都不知利用，我真傻。陈真说我一辈子找不到爱人。他也许有理。"说到这里，他不觉自己埋怨起来，他后悔不该把这样的好机会白白放过，他想也许今晚的谈话会给她留一个不良的印象，她也许会暗暗地笑他是一个书呆子，那么以后任是怎样努力，恐怕也难有办法。他愈加往下想，愈加懊恨。

过了一些时候，他的思想又转换了方向，他用手在眼前拂了几拂，好像要拂去什么幻象似的，随后又自己辩驳道："一见面怎么就想到恋爱？虽然以前见过几面，但也并不怎么相熟呢！……况且她又是大学生，和别的女子不同，和她谈思想，倒也并不唐突。”

他这样想着，心便渐渐平静下去了。于是他屏绝了一切的杂念，站起来关了灯，静静地立在窗前，望着他黑暗的海和灯塔里射出来的颤抖的微光。他不用一点思想。他只是赞颂着自然界的庄严与伟大。

二

一个星期过去了。

在一个早晨，天还没有大亮，东方才开始发白，黑色的天空渐渐在褪色。空气里还充满着夜的香气，周围很静寂。这时两个青年的脚步声在润湿的草地上微微响着。他们走到大门口，管门人已经起来了，便给他们开了门。

他们慢慢地在那寂静的街上走着，脚踏在柔软的土地上并不吃力。两旁的房屋模糊地现露在他们的眼前。有几间房里起了人声，但很低微，轻轻地随着晓风逃走了，并不留一点余音在行人的耳里。空气里带了清晨的寒意。街道上只有他们两个的规律的脚步声寂寞地响着。

他们并肩走着，不过距离得并不十分近：一个是年青女子，有一头波纹的黑发飘蓬在脑后，穿了一件白色短衫，系一条青裙；另一个瘦长的男子，穿着一身太阳呢的西装。他们便是住在海滨旅馆里的周如水和张若兰。

他们走过那一条较长的街市，天空已经变成了蓝色。他们又转了两个湾，便到了海滨，一片灰白亮亮的水横在他们面前，岸边是一带窄的沙滩，潮来时会全被淹没，现在潮已退了，海水在微微私语，缓缓地和岸边接触。沙滩上还很润湿，有几个岩石般的大石块凌乱似地堆在那里。岸边还有些石级。

他们站在岸边，望着水天分不清楚边际的地方。海风温和地吹拂着他们的头发和衣服。张若兰让她的浓密的黑发给风吹着，只用手按住裙子。她的发经风一吹，飘蓬得更厉害了，它们随风的来去而波动而起伏，一方面显得更浓，一方面又显得更软，同时一股一股的香气从那里发出来，随着风直往周如水的鼻里送。

周如水故意站得离她远一点，只顾偷眼去看她的头发，不觉从心里唤起了赞叹。“好美丽的发呀！”他这样想，于是从日本妇人的大得可怕的高髻那里感到的对于女人头发的憎厌马上消灭了。这时天空已由深蓝变为明亮的浅蓝色，粉红的云彩挂在他们的头上，天快大亮了。

“今天我们真早，”她回头对他说。

“是的，空气多么清鲜，自然界多么美丽……”他很高兴地说。

“早起倒很好的，”她再说一句，两人便向前走了。

他们走到岩石旁边，正好有两块岩石离得不远，他便提议说：“我们还是在这上面坐一会儿罢，太阳马上就要出来了。”

她伸手在岩石上摸了一下说，“这上面还是湿的，”便掏出手帕把石头拭干了坐下去。他也在另一块石头上坐了。两个人都不闪眼地望着天际发光处，等着看那日出的壮观。

天边渐渐地亮起来，这时好像谁在那淡青色的天畔抹上了一层粉红色；在粉红色下面隐藏着无数道金光。忽然间仿佛起了一阵响声似的，于是粉红色的云片被冲开了，天空顿时开展起来。一轮珠红色的太阳接着从天际慢慢地爬上来，它一摇动，就好像发出了大的响声。它终于爬上了水面。在它的下面有一片红光承着它。它升高，红光也跟着伸长。它愈往上升，它的光芒也愈大。在短时间以后太阳已经离开了水面，而逐渐变小了。同时它的身体也渐渐由珠红色变为金红色。霎时间霞光就布满了半个天，维护着这一轮金光灿烂的朝日；水面上也荡漾着无数道金光。天空中好像奏着一曲交响乐，一片响亮的曲调送入人们的耳里。

他们这许久都不曾说过一句话，只是带了赞叹和惊奇的眼光静观着这眩目的景象，甚至找不出一个适当的形容词来赞美它。直到后来天空的交响乐停止了，一切恢复了平常的状态，海岸也不再是像先前那样地冷静了，有几个青年或中年男子在沙滩上闲步，还有两三个半裸的贫家小孩在地上拾贝壳。这时候他们才警觉过来，觉得在这里久坐也没有意思，便站起在海滨走了两三转，就离开了。

两人信步走着，走入街市，到了一家汤团店门前。店里摆了几张小桌子，都坐满了人，只有靠里面的一张还空着，地方虽然不十分明亮，但座位还清洁。他们进去要了两碗汤团来，他们捧了碗，望着在碗里水面上浮着的几个大汤团，又从心里浮起朴实的微笑，这样大的汤团他们还没有见过。他们举了箸去挟汤团，同时，抬眼望四座顾客，那些人都有着诚实而近于愚蠢的脸和袒露的毛胸，他们把那样大的汤团一口一个地挟往口里送。

“周先生，你看，”张若兰低声对周如水说，于是好奇地笑了。

周如水的脸上浮出感动的微笑，素来厌弃都会文明，赞扬自然美而主张土还主义的他看见这些朴质的渔夫们怎样地吃他们的早餐，从那种把这简单的食品当作盛馔似的很起劲地吃着的样子，他不觉体会到了吃的滋味，他想真正懂得吃的恐怕还是他们那班人吧。于是他回过头对张若兰一笑，并不说什么，就用箸把一个汤团弄成两半，挟了半个送进口里，慢慢地嚼着，一面和她谈话。

这时一个穿白布衫的十七八岁的女郎从外面进来，手里端着碗，脑后垂了一根辫子。众人的眼光都转注在她的脸上。她似乎并不觉得，态度很安详，笑着和那掌锅的说话。

张若兰微笑地放下碗，指着这女郎对他低声说："她就是这里的'汤团西施'，旅馆里许多客人都常常特地跑来看她！"她说了又抿嘴一笑。

周如水听了这话便把眼睛往那边去看，只看见女郎的侧面：是瓜子般的脸庞，前面披着刘海，后面垂着一根松松的辫子，相貌还过得去。她偶尔回过头，便被他看见了她那对活泼流动的眼睛，他们的眼光碰在一起了，她若无其事地对他笑了笑，又把头掉了过去。他的心里禁不住怦怦地跳动。他望着她出神。

"周先生，"张若兰在旁边唤他，他惊觉地掉过头去，看见她在抿嘴笑。他不懂得她在笑什么，又不好问她，正纳闷着，忽然觉察出来自己手里还挟着一个汤团，于是恍然明白了自己方才的那种呆相，不觉红了脸，便低下头只顾去吃碗里的汤团，很快地就吃完了。他正预备付钱，却被张若兰先付了。这个他觉得很抱歉。

他们从汤团店里走出来，太阳已经高挂在天空了。阳光焦炙地射在人的头上。街上也比较先前热闹了许多，因此更使人感觉到热意，周如水的头上开始出了汗，便把西装上衣脱下来搭在左腕上。他们只顾谈着，又走过一条比较僻静的街，矮屋的门前有几个妇人和女孩忙着补渔网，她们一面工作一面说笑，有二三个妇人的已经成了黧黑的脸上还蒙着焦热的日光，但她们一点也不怕。有一个年纪较大一点的敞开了衣襟，露出胸前的一对大奶，这和颈项以上的肉成了两种颜色，而且很显然看得出边界。

他们走过时，那些朴质的脸都带了惊异的神色望他们，他在他们的后面响着神秘的笑语声。这景象在他还是第一次看到，但是他并没有憎厌的感觉，他反而觉得自己多少有点喜欢这一幅简单朴实的图画。这时他已经跟着她转了弯，走入大路上了。

在右边高耸着旅馆的楼房，窗户都开着。墙壁上涂着灿烂的金光。马路上只有寥寥几个行人。左边有一条蜿蜒的小路，路略往下倾斜，引入一片菜畦，似乎还可以达到那远处的一带树林。

他们走过旅馆门前，看见侍役正引着水管在草地上浇水。地上尽是丝丝的水点。周如水摸了表出来看，还不到九点钟，便指着树林那方面提议道："那边我还没有去过，密斯张现在高兴和我同去吗？"

"只要周先生肯去，我当然可以奉陪的，"她微微笑着说了。周如水不禁想道："好温柔的声音呀。"

两人转入了小径，走不到多远，路渐渐地变得很窄了，只可以容一个人通过。一边是长春藤掩着的土墙，一边是被柳树划分了界限的斜坡和菜畦。张若兰在前面走，周如水跟在后面。柳条垂下来，常常阻拦着他们的进路，他们用手把它披开了。两人离得很近，张若兰觉得周如水的热气喷到了她的耳边和颊上。她的女性的敏感的心还可以分辨出他的急促的呼吸。她不觉本能地红了脸，把脚步放得快一点。然而走不到几步她突然停止了。在她的面前一只蛤蟆蹲踞着，她想让它跳开，它却不动，她便用脚轻轻地把它拨开了。

在她后面走着的周如水只顾跟着她的脚步走，不留心她要中途停住，待急忙收了脚步时已经略略迟了。他的嘴几乎吻到她的柔发，他的身子几乎贴在她的衣服上面。他仿佛看见她的肩头微微耸动，似乎也感到了她的胸膛的起伏。一阵发香和肉香合起来直往他的鼻里送。这香味颇似麝香，但又没有那样强烈；似乎是淡淡的清香，但又多少有一点腻，而且异常沁鼻。这香气使他无意地联想起那粉嫩细腻的皮肤，其实这四个形容字是不够的，似乎还有一种性质不曾被表示出来，但他自己也找不到适当的字来形容它。

他连忙往后退了一步；他惶恐地默默望着她的背影。那一股异样的香味又沁入他的鼻里。他非常激动。一股激情抓住了他。他的身子突然颤抖起来。他想唤她，他想走上前去搂抱她。但他马上又觉得自己的勇气逐渐在消失了。

她并不回过头看他，便又拔脚前进了，不过走得很慢。她的裹着黑色长统丝袜的腿在那蜿蜒的小径上缓缓地动着，很有规则，好像很熟练似的。他自己一面跟着她走，时时望着她的不曾被裙子盖着的腿，心里充满着快乐。

这时路变得很宽了，虽然是崎岖不平，走起来也不十分困难。路的两旁都种着柳树，下边是水沟，路突出在中间正好像一段堤岸。柳叶随着风微微舞动，有时候就像要拂到他们的头上来似的。

他们走过了这段路，水沟没有了，旁边是菜畦，有几个穿了蓝布衫头上盖着白帕子的农妇在田里工作，路旁有些苹果树，枝上挂了好些青色的嫩苹果。在不远的地方音乐似地响起了蝉的催眠的歌声。

“乡间真好，一切都是和平的，亲切的，美丽的，比在都市里吸灰尘好过十倍。”周如水满意地称赞道。的确在这里没有都市里的喧嚣，没有车辆，没有灰尘，没有gasoline的气味，没有淫荡恶俗的音乐，没有奸猾谄笑的面孔；在这里只有朴质的，和平的，亲切的自然的美，而且差不多是原始的美。他的土还主义在这里得到了绝大的证据。虽然他并不曾熟读过室伏高信的文明之没落等著作，而且便是那一本土还也只翻阅了前面的十几页，（这理由是他不喜欢室伏高信，）但他已经觉得自己的土还主义是非常坚固无可动摇的了。

“我也喜欢在乡下住，每年暑假我都要到乡下去住的。明年毕了业，我也不愿意在都市里做事情，还想到乡里去办小学校。”她这样表示了她的意见，很使周如水高兴，他这时记起了她是学教育的，与自己的所学相同，而且志愿也差不多。这几句简短的话给了他一个很好的印象。她说话的态度很真挚，不像是故意说这些来迎合他的心理。因此他觉得他们是更近于互相了解了。

于是又谈到关于太阳的话，张若兰说：“我以前简直梦想不到日出是这样的美丽。”说了美丽，她又觉得这两个字不恰当，便改口说了一句：“这样的庄严。”她歇了歇又说：“要不是周先生提醒我，我今天决不会有这眼福，所以我应该感谢周先生。”她说了便掉过头来微笑地看他，两只晶莹的眼睛里表示着口里所说不出来的深意。

这使他感动，使他满足，使他陶醉，他觉得自己从没有像现在这样地快活的。他的脸上现出得意的笑容，甚至因了这得意而红了脸。于是许多的警句又涌现在他的心头，鼓舞着他用激动的声音说出下面的话：“太阳真是伟大！它使万物生长发育，它到处撒布生命，它没有差别地照耀着各处，使任何地方都得着光明，记得日本童话作家小川未明说过‘母亲是太阳’的话，把母亲比作太阳，这是再恰当不过的，因为母亲对于子女的爱护确实是像阳光那样地普遍。子女无论到什么地方，母亲的爱都跟随着，恰像万物无论地位或高或低都可以享受到阳光那样。”

“周先生的话说得很不错，只可惜我的母亲已经不在这个世界上了。”她突然闭了嘴，声音里略带一点悲怆。

他自己本来已经被愁思侵袭着，这时忽然听见她说了那句话而且声音也改变了，便吃惊地看她的脸。但是她早把脸掉开去望别处了。他看见她的波纹的头发，便忘了自己的事。他变得惶恐起来，想找话去安慰她，但拙于言辞的他，一时却想不出适当的话。两人还是默默地走着。

“我不该说这样的话使密斯张伤心。我本来不知道密斯张是没有母亲的，剑虹也不曾告诉过我，”他终于说了这抱歉的话。这话果然有了效力。她回过头来，脸上虽然仍带戚容，但已经渐渐开展了。两只眼睛光闪闪的，里面没有泪珠，却含着深的感激。她慢慢地说：“这和周先生的话没有关系，我自己不过偶尔想起罢了。周先生的话说得真好。我真羡慕你，你有那样好的母亲。”

“只是我自己太不孝顺了。我离开了八九年就没有回去过，”周如水回答着，想起自己的过去，想起母亲，倒有些伤感。开始觉得自己的良心不安起来了。心里有些难受，又有些惭愧，虽然还有一肚皮的话要说，但一时也说不下去了，就闭了嘴低着头慢步走着，他现出没精打彩的神情。

“周先生，我知道你在想念你的母亲，”张若兰关切地，同情地说。

“是的，”他低声应着，抬起头感激地看了她一眼。

这时两人已走到树林前面，一条曲折的小径把他们引进树林里去。他们初进去时，树林并不浓密，到处都是阳光。渐渐地树林便密了。参天的松柏遮住了阳光，虽然还让它撒下一些小的斑点，但树林里没有一点热气。他们一面听着蝉声，一面很舒适地在林子里走着。转了几个弯忽然在一个地方看见一口井，井旁立着一个木架，上面系了一个水桶。前面有一所茅屋，是两间，茅屋前有一个老头子坐在竹椅上用柳条编竹篮或竹篓，他的脚下不远处躺着一条黑狗，在那里晒太阳，因为这一段树木稀少，人可以看见天空了。黑狗看见人便跳起来跑过去，望着他们狂吠。那个老头子连忙站起把它唤回去，一面又带笑地招呼他们道：

“从海滨旅馆那里来的吗?”

他们点了点头。

“你怎么知道?”周如水惊讶地问道。他渐渐地又把母亲的事情忘掉了。

那老人望着他们得意地微笑，一面回答说：“我一看就认得。我在这里住了许久。每年夏天总有不少的人到这里来，都是从海滨旅馆来的……我的眼睛不会错……本地方没有这样漂亮的人物……海滨旅馆修好还没几年……我在这里算起来却有十几年了。”他说毕，又掉转头往里面叫了一声：“琴姑。”

里面起了一个少女的清脆的应声。老头子又在外面叫道："带两个凳子出来。"

茅屋里走出一个十六七岁的天真的姑娘，脑后垂了一条松松的大辫子，身上穿得还整齐，只是两只袖子卷到了腕上，仿佛她刚才在在里面做着什么事情。她一手提了一个竹凳子，走到客人的身边放下，还说了声"请坐，"便回到那老头子身边，站在他的椅子背后，偷眼看那两个不寻常的客人。"这是你的女儿吗？看相貌就知道很聪明，"张若兰这样说，使得那女郎露出笑容，但又红了脸低下头去。

"不，她不是我的女儿；她是我的侄女，是我弟弟的孩子。他们夫妇很早死了，剩下她孤零零的，没有人看顾。我便把她带到这里来，好在我又没有儿女，从来就没有娶过亲，也是孤零零的。因此便把她当作亲女儿看待。这女儿还不错。"他说到这里，便掉过头用爱怜横溢的眼光去看她，脸上还显出得意的样子。他又回过头来说："她待我很好，真和待亲爸爸一样。她人又聪明，做事又能干。我真舍不得她！不过她的年纪一天天地大起来了，我少不得要给她找个好女婿，使她过点好日子，才算了结我的一件心事。我老是留心着，可是总选不到一个中意的，真是不容易选啊。"他又去望他的侄女，然而那女郎已经羞得跑进去躲藏了。他便回转头看这两个客人。看见他们都注意地倾听自己的说话，觉得更得意，便不等他们回答又冒昧地说："你们两位真是天生地就的一对，是几时成家的？这样好的一对夫妇，我真是第一次才见着。”

张若兰听见这话，她的脸马上通红，她不好意思地埋下头去，心跳得很厉害，却沈默着不说一句话。

周如水也觉得有点不好意思，但同时另有一种感觉来侵袭他。这是欢喜，是惊疑，是悲哀，是畏惧，是陶醉，在平日缺乏分析力的他是分辨不出来的。他的心也在怦怦地跳，他马上掉过头去看她，看见她的那样子，他觉得他的心跳得更厉害了。但他极力镇压住自己的纷乱的心曲，恢复平静的样子对那老头子庄重地说：“你不要乱说，她还是一位小姐！我们不过是朋友罢了。两人到这里来避暑的。”他说了，又有点后悔不该这样去辩正。“就让那老头子相信着是两夫妇岂不很好吗？”他这样想。

“真的吗？不要哄骗我这个老头子！”那老人不相信地说，一面还仔细地去看他们两个的态度。他现在恍然明白了，便马上更正说：“我的眼睛花了，头脑也昏了，说话没有次序，请你们不要见怪才好。”于是他故意做出责备自己的样子。

张若兰刚刚抬起头来，正看见他这可笑的样子，便忍不住扑嗤一笑，周如水也笑了。

这样地把问题结束以后，那个老头子又絮絮地向他们叙说自己的身世，说他姓王，年轻时候也读过书，而且学到一手好拳，后来去当兵，满望升得一官半职，谁知过了许多年，见过了无数的战阵，拿生命去冒险，结果是别人升了官，而自己依然是一个小兵。他便离开了军队，在几个省分混了几年，就跑到这里来，后来得到了看守树林的职务，在这里也已经住了十几年了。

如果告辞的时候，那老头子不向他们说那一句奇异的话，他们在归途中也许会起劲地讨论着一些都会与乡村的问题，他也许会热心地向她宣传他的土还主义；然而那老头子毕竟说了。原来他们临走的时候，那老头子半认真半开玩笑地对他们说：“我很奇怪：像你们这样好的一对，为什么不早早成家？要是在从前，像你们这样年纪的人早有了孩子了。”

他这一番话把他们两人弄得满脸通红。他们又不好当面向他发作，只忍住羞惭，好像不曾听见他的话似的，告辞走了。

在归途中两人的心情和来时便不相同了，好像有一堵墙隔在他们中间，他们很想知道彼此的心，知道各人在这时候想些什么，然而快要到逼近的时候，他们的心又离开了；像撞着了那墙壁似的，他们急急把自己的心收回来，但过后又再去试探彼此的心。

张若兰是比较镇静得多，而且性情温柔，所以便是在心里她也是很稳重的。她不让自己的思想走到极端，处处不肯失去她的少女的矜持。像她这样的人甚至在进攻的时候也要守住自己的阵地。而周如水便不同了。他虽是比较热情些，但他又是一个犹豫过多的人，因此他的热情常常被顾虑消灭了，他有时竟然没有丝毫的勇气，变成了非常胆怯的人。

这样的两个人如今并肩的走在路上，相隔得这么近，却彼此不交谈一句。各人都沈溺在思索里，都在回忆那老头子的一番话，张若兰愈想愈觉得害羞，但是她却喜欢这思想。她想说话去试探他的心理，同时她又怕因此失掉她的少女的矜持。她只是期待着，等候他来进攻。但周如水却并不是像她所想像的那样勇敢的男子。在未离树林时他还有很大的勇气，可是在听了那老头子的一番话以后，他觉得自己的心理都被人知道了，自己的秘密被人揭破了。她也许会怪他冒昧唐突，笑他敢于有这种野心，或者甚至因此看轻他，说他无聊，以后便不再理他也未可知。这样想着，纵然前面有很大的机会，他也没有勇气去利用它了。在路上他被矛盾的思想追迫着。他时而喜欢那老头子说了那一番话，时而又抱怨那人不该如此大胆地说。他有时候想鼓舞起勇气去和她讲话，但话一到口勇气就消失了，始终不曾说出来。最后还是她开口问他将来的计划以及同性质的话语，她也许盼望着他的另一种回答，而他却开始向她宣传起他的土还主义以及其他的主张来，他自己居然以这些伟大的思想自夸，而其实他是拿它们来掩饰自己的弱点，来做避箭的盾。

他们回到旅馆，她告辞回房里去休息。他还在草地上没有阳光处徘徊一阵。他的头脑很热，心里也烧得厉害，他的眼前浮现了那张团团的脸，一双长睫毛盖着的大眼睛，一个略高的鼻子，笑时露着酒窝的双颊，左眼角下的那一颗小小的黑痣。尤其使他动心的是她低着头玩弄衣角时把两颗水似的黑眼珠偷偷向上面一闪的神情。这时候的她在他的眼前变成超乎实际的美了。他觉得他实在爱她，他决不能够放弃她。他必须把他的爱情向她吐露出来。他觉得他应该这样做，而且他没有一点可羞愧的地方。他很明白地意识到他爱她并非像他从前爱日本的咖啡店的“女给”那样。他爱那些女子是想把她们抱在怀里吻她们，玩弄她们，完全把她们当作玩偶一般；然而他爱她呢，他是愿意和她共同生活，共同创造一种新的事业，互相帮助，互相安慰，他要把她当作一个朋友，一个同志，一个伴侣，一个爱人。

他这样想着，心情便高扬起来，他觉得他的爱情是纯洁的，甚至是崇高的，他自己反可以拿这来自豪。于是他很勇敢地上了楼，预备到她的房里去，而且甚至想好了要和她说的话。但是他还没有走到她的房门口，他的勇气就渐渐消失了。他迟疑了一会，才鼓起余勇走到她的门前，轻轻在门上敲了两下。过后他又有些失悔，心里禁不住怦怦地跳。

房里没有一点应声，也没有一点响动。他想，她也许没有听见。他待要再敲，然而心跳得太厉害，仿佛身子也战抖起来，他的勇气完全丧失了，便懊悔地回到自己的房间去。进了自己的房间他又禁不住要想她。他预备把心好好地镇定一下，但是他的心又一次燃起了情焰。他愈想镇静，愈觉得自己的热情差不多要满溢出来了。他非得马上把胸怀向她吐露不可。于是他拿起笔取了信纸，打算写封情书给她。他很热心地写着，然而写了一大篇，尽是些童话上的语句，什么“骑着云儿飞上天空，”什么“和群星在蓝空里游戏，”满纸都是这一类的话，连一句“我爱你”也没有，更不用说别的了。

写好了，自己读一遍觉得很不错，很比得上一篇名家的童话；然而他再读一遍，想想他本来的用意，又觉得这封信把他的本意一点也没有表达出来，他生了气就将这几页信笺撕了。

三

托尔斯泰在他的长篇小说《战争与和平》里说彼得伯爵自从在跳舞会里嗅到海伦郡主的肉香之后，就决定娶她为妻。

邓南遮在他的剧本《死之胜利》中也有女人的肌肉香足以诱惑人安慰人这一类的话。

这两本名著周如水都不曾读过，然而他在一本关于性的问题的日文书内读到了以上的话。这经验他现在是体会到了。虽然事情已经隔了一天，而且他如今是孤零零的留在房里读书，但那似麝香非麝香的肉香反仿佛在他的鼻端荡漾了，使他忘记了书上的黑字，而沈醉在美妙的回忆里。同时一个幸福的思想又不时来提醒他，告诉他，说这美妙的回忆不久就会变为更美妙的现实了。

昨天从树林归来以后，他和她还有过一度的谈话，就是傍晚他们吃过晚饭在草地上散步的时候。

黄昏里特别容易嗅到草香，空气也是非常柔和。白日已经过去，而黑夜还没有来临。在这过渡的时刻里一切都带了神秘的色彩，便是人也多少有点诗化了。他们正立在一丛玫瑰花的前面，馥郁的花香刺戟着他们的鼻端。

“造物的道理是神秘莫测，像玫瑰那样娇艳的偏偏要生了刺，”张若兰指着那些盛开的深红色花朵说。

“这大约是因为生得娇艳怕人采摘，所以才生了刺来保护自己罢，”周如水解释说。

“那么像牡丹那样富丽的为什么又没有刺呢？”张若兰再问了一句。

这问题，他回答不出来了，他迟疑一会才说了一句：“这就是娇艳和富丽的差别罢。”但说了，他又觉得解释得不恰当，又看见她的不置可否的样子，便用别的话来把话题支开。他又说：“玫瑰，我不喜欢它。它虽然好看，却没有一点用处。我想写一篇童话叫做《玫瑰与桑树》，就是发挥这意思，说玫瑰对于人毫无益处，反不及桑树，桑树的用处倒多。”

“话不能这样说，至于用处一层也不能够讲得这样狭隘。不过我也不喜欢玫瑰，我嫌它太娇艳了一点，我喜欢菊花。人说菊花傲霜开，我就喜欢这‘傲霜开’三个字。还有梅花也是我很喜欢的。我读过别人咏梅花的诗有‘独抱幽情淡冬雪，更怀高格傲春花，’又有‘不妨清冷洗繁华’的句子，这正合我的意思。”

“不过我觉得密斯张并不怎么冷，”周如水笑着插口说，“密斯张还是个有热情的人。”

张若兰只是微笑着，并不答话，不过掉过头来把两只晶莹的黑眼珠对他一闪。

这一闪使他的心变得灵活起来，他鼓起勇气说了下面的很有意义的话：“我也是很爱梅花的，我许久就想折一枝来供在书桌上，只是我每次去折时，树上就只剩空枝了。花都给人折去了。”他说这话时还不能够使自己的心不跳动，使自己的声音不战抖。说了他又惶恐地低下头，甚至许久不敢抬起头来看她一眼。

她并不马上回答。她回味着这话的意思，不觉脸上起了红晕。她偷偷瞥他一眼，并无嗔怪他的意思。她慢慢镇静下来，又带了笑容，似懂非懂地用了同样暗示的话答覆他道：“只怪周先生自己耽误了。周先生既然看中了一枝，为什么不早去折？为什么不在别人未折以前去折呢？迟了自然被人家抢先折去了。须知花开的时节并不会久，迟了就要谢的，所以花不能够久等人。周先生不记得‘花开堪折直须折，莫待无花空折枝’的旧诗吗？”她说完便用一阵微笑来掩饰她的心的跳动。

一阵喜悦占有了周如水，他的脸顿时开展起来。他起初几乎不相信他的耳朵，他想她决不会对他说出这样的话。他疑惑地偷偷看了她好一会，看见她温和地微笑着，装着不在意的样子看别处，但脸上却淡淡地染上一层玫瑰色。他的胆量渐渐大起来。他便抬起头领悟似地含笑对她说："我明白这道理了。密斯张，谢谢你指教我。"

她又微微地一笑，并不把头掉过来看他。他们两个如今都很明白彼此的心理，却又装出不懂的样子，好像并不知道两人的话语都含有双关的意思。

过后他们又谈了一些话。他知道她的父母都早死了，她是在伯父家里养大的，伯父和伯母待她都好。她还有一个堂妹和一个堂弟，如今在故乡的中学里读书。至于他的身世，他完全不曾告诉她，她也不曾向他问过。

人的心理常常是奇妙难测的。周如水的心理尤其是如此。在这时候，在美妙的回忆快要变为更美妙的现实的时候，他却开始疑惧起来，他变得畏怯了。于是这许久差不多被他完全忘却了的他的身世陡然浮上他的心头。

在一个辽远的省分里住着他的双亲。他们很健壮的活着。他还有一个兄弟和两个妹妹，他的过去的环境不能说是不幸福的。在幼小的时候他进了小学，年纪稍大一点他又进中学，这其间他也曾得到母亲的溺爱。中学毕了业他便离开故乡到首都去进大学。在大学里不到两年的光景他就考取了本省的留学官费，离开中国，到东邻日本去留学。他在东京一连住了七年，除了大学毕业修完教育系的课程外，还过了两三年的自由生活。这其间他得到不少的知识，见到不少的事物，交了不少的朋友。这一切都帮助他发展成一个努力向上的人，他还加入了一个社会运动的团体。有时他回顾自己的周围，想像自己的前途，觉得自己在人间究竟算是一个幸福的人。有的朋友在书信上，或谈话中都说他的环境很好。

但是事物并不是就像外表那样简单的。人也是一样。这所谓幸福的环境不过是他的生活的一面，而另一面却像鬼魂那样地抓住了他，极力使他下落，使他有时候竟完全堕入在悲哀的深渊里。在十七岁的那一年，他在中学里还没有毕业的时候，他的父母给他选了一个妻子。于是在这样小的年纪他就做了一个女人的丈夫了。过一年，他又做了一个男孩的父亲。他对于这婚事本来很不赞成，然而自己从小就被父母娇养惯了，遇事都是由父母替他安排决定，其结果自己便成了一个优柔寡断的人。和安排其余的事一样，父母给他娶亲也并不征求他的意见，他们独断地处理了一切。最后木已成舟，在新婚的床上他发见了一个丑陋瘦弱、而且毫不亲切的女子。在父母以为娶了亲就是成人的表示，他从此便走上了繁荣的路。而在一个青年，这样的事很厉害地伤了他的心，而且伤了他的骄傲。虽说是那样地优柔寡断，然而他毕竟是一个青年，他有青年的幻梦，他梦想着怎样在外面创造一番伟大的事业，他梦想着有一个温柔美丽而又能够了解他的女子来做他的伴侣。然而这幻梦却给他的父母毫不怜惜地毁坏了。他们在家里给他安置了一个妻子来束缚他的向外面发展的心，给他预定了一个平凡而安稳的前途。他们做这一切，没有一点踌躇，好像他自己不是一个人，只是一个木偶。这太使他伤心了，虽然他很爱他的父母，但是他更爱他的青春，他决不能牺牲它而没有一点遗憾。这牺牲太大了。儿子来了，他的父母更高兴有了孙儿，而他更感到悲哀了。这是他的痛苦的成绩，这是他埋葬自己的青春所得的酬报。对于这小小的东西他是不能够有丝毫的怜爱的。一看见这孩子，他就自然地想到自己的巨大的牺牲，悲哀便袭来了。但是在这样的环境里，他还是有法排遣的。他爱父母，他尤其爱他的母亲。每逢苦痛袭来的时候，他便拿对于母亲的爱来做挡箭牌。他觉得他付出这牺牲也换到了一点东西，他得到良心的慰安。

儿子来了以后，五四运动也跟着来了。这给他带来了新的希望，同时还给他带来新的认识。好像一条缚带从他的眼睛上落下来，他发见在他的周围有一个新的世界，于是他以新的勇气来继续生活。他的第一个计划便是到首都去升学。

不久他毕了业，而且不费多大的力量就得到父母的允许离开了故乡。临行的情景是惨痛的。他的父亲带着戚容不说一句话，他的母亲一面哭着，一面嘱咐他种种的事情，他所不爱的妻子哭着拉了他的衣袖不要他走。

多感的他几乎会因此放弃了他的出省的计划，但他终于走了。

出省以来在首都差不多住了两年，又在日本住了七年。这其间他没有接到他的妻子的一封信，她根本就不认识字。他也不曾接过他的孩子的一张照片。他到了日本以后，他的父亲一年里不过来七八封信，有时候在信里不过略略提一笔说他的妻子还活着吃饭罢了。因为大学里功课忙或其他的缘故，他每年也不过写八九封信回家，后来渐渐减下去，每年至多只写两三封家信了。他在信里从来没有提过他的妻子。好像在家里就根本没有这个人似的。然而事实上每逢他和一个女子接触的时候，他便自然地想到在家中他还有着一个他所不爱的妻和一个他所不认识的儿子；好像他的命运已经决定，他甚至宁愿眼看着他所爱的一个日本姑娘和别人订婚而自己不敢接收她的爱情，以致终于看见她做了别人的妻子而后悔。而痛哭。他不怪自己没有勇气，他反以为自己得着了良心的慰安。他为他所不爱的妻子牺牲了一切，他甚至于庆幸自己因此做了一个多情的人。但过了一些时候，旧的痕迹刚刚消灭，他又以新的勇气去追逐新的女性了。结果又是一样：自己得到了精神上的苦痛，而同时又得着良心上的慰安。这样就构成了他的生活的两面。所以在为失恋而痛哭的时候，他还以为自己究竟算是一个幸福的人，同样在得着新的女性的爱情的时候，他又以为自己是世界上最痛苦的人了。

自然这一两年来因了年龄的关系，他的性情不免多少有了一点改变，然而大体上还是和从前相差不远。如今在这新的女性的爱情正要来温暖他的心的时候，那过去的事又像鬼魂一般来抓住他的灵魂了。

一个自己不爱的妻，一个自己不认识的儿子；还有年老而健康的父母，这是自己所爱的。这四个人轮流在他的头脑里显现着。但在这四个脸庞后面突然又出现了一个可爱的脸庞，依旧是长的睫毛，大的眼睛，略高的鼻子，微笑的嘴唇。这一个比以前的四个更威压的占据了他的头脑，他无论如何总不能够把它去掉，尤其厉害的是那一双晶莹的黑眼珠往上一闪的神情，这差不多要把他完全征服了，使他几乎忘掉平时所夸示的男性的骄傲而俯倒在这个面庞之前。

于是他想，一切都是决定的了，自从嗅到她的肉香以后他就不应该再犹豫了。他应该像小说中的彼得那样马上就向他的海伦求婚。

便是这样想着也不能够把他的事情决定。过了短时间，良心上的不安又突然袭来了。抛弃了家中的妻子和另外的女人恋爱结婚，这并不是一件小事情。而且他这样做就无异乎和家庭断绝关系，他的妻子且不必提说，单是他的父母就不会赞成这件事。这对于他们是一个极大的打击，会使他们十分伤心。他要是只顾自己的幸福冒昧地做了这事情，那么他对父母便成了不孝的儿子，对妻子便成了不义的丈夫，虽然自己并不爱这妻子。以后他便永不能够回家去和他所爱的父母见面了。而且从此他在道德上便会破产，会成为一个被社会唾弃的人。这打击太大了，他实在不能够忍受，这时他又有了放弃她的意思，并且甚至疑惑起来：她是否真正爱我，是否真有勇气来和他同受这样的一个打击。

他左思右想，简直想不出一个头绪来。他完全没有了主意，不知道应该怎样办才好，后来他想起了住在附近那都市里的友人陈真，觉得必须和他商量一下，他也许会替他决定这件事情。他便开始给那个友人写信。信写好，他觉得不对又撕了，另写了一封。里面的话与自己心里所想的完全不同。

四

中饭后周如水正预备睡午觉，侍役领了两个客人进来。他一看便认识这是他的朋友陈真和吴仁民。他站起来和他们握了手，招呼他们坐下。

陈真是一个二十三四岁的青年，身材并不高，瘦削的脸上永远带着刚毅的表情。一对大眼镜罩着的近视眼。此外也没有别的特征。但从各方面都可看出来他是一个意志力很坚强的人。

吴仁民的年纪比陈真的大一些，身材略高，有一张圆脸和一个结实的身子，气魄大，又有热情，但容易使人觉得他有些轻浮。

“仁民到我那里去说起要看你，恰好你的信来了，所以我们就一道来看你。”陈真说着便在躺椅上坐下去，一面摸出手帕揩拭额上的汗珠，现出一点疲倦的样子，脸上却带着笑容。

吴仁民在写字台前那把活动椅上坐下，伸手随便翻着桌上的书，脸向着那站在屋中央的周如水，带笑地问道："近来怎样？听说你又有了新的'罗曼斯'了。"

周如水笑了笑，问道："你读了我写给陈真的信吗？"

"是，读过了，但那女人是谁我却不知道，"这是吴仁民的回答。

"她的姓名，你何必要知道？一个女人不过一个女人罢了，何必一定要打听出来她是谁。我的问题并不在这里。而且这女人你们是见过的。"

"我们见过？什么人？这就奇了！"陈真惊讶地大声说："你说我在什么地方见过她？"

"张若兰，没有见过吗？"周如水终于说出她的名字来。"你不是在剑虹家里见过她吗？那一次我也在那里。一个二十多岁的女子，长睫毛，大眼睛，高高的鼻子，左眼角下有一颗黑痣。"

他的话还没有说完就被陈真阻止了。陈真猛省地大声说："啊，原来是她！岂但见过，我和仁民还常常谈起她。人还不错。剑虹说她是同志，我看她不过是一个小资产阶级的女性。"

"好个小资产阶级的女性！这句话如水听了一定很不高兴。"吴仁民在旁边拍手笑起来。

"不见得罢，"周如水表示不服，开始分辩道："同志不同志，我不知道，不过她的思想和我们接近的。我看她丝毫没有小资产阶级的习惯。”

“是，我知道了。”陈真忍不住扑嗤一笑。“她一定赞同你的土还主义，一定说都会的文明怎样不好，都会里整日有 gasoline 的气味，电车上卖票人如何揩油，商人怎样欺骗，乡间怎样有美丽的风景，有清洁的空气，有朴实的居民，又说大家应该拿起锄头回到田里去。于是你们两个就‘土还’到这海滨旅馆来了。”说到这里他忍不住大笑起来，而吴仁民也附和着笑了。

周如水在旁边看着又好气又好笑，他却也忍住了，依旧心平气和地分辩说：“你误会了，土还主义决不是这样简单的。你还不懂得什么是土还主义。”

陈真的脸色变得庄重了，他认真地说：“懂不懂得又有什么关系呢？土还主义不过土还主义罢了。在我，与其在乡下过一年平静安稳的日子，还不如在都市里过一天活动的生活。”

周如水注意地听他说话，心里略有苦痛，他想这班朋友在思想上是渐渐与他分离了。他们是都会主义者，而自己一个却变成土还主义者了。他又想起在陈真最近刊行的一本关于他们的主义的书里面，乡村问题连一个也没有谈到，他完全是对都会里的人说法的，好像以为都会问题一解决，乡村问题也就连带解决了。他觉得这思想是错误的，他以为乡村比都会还重要，将来新社会的萌芽就在这里。所有觉悟了的人都应该离弃都市，到乡村去工作，去办农场，办学校，办合作社，以及其他公共事业，生产事业，去教导农民，帮助农民。他以为这种办法是天经地义的，可是每次宣布出去，便是最好的朋友像陈真们也要非笑他，不是说他的办法太迂远，就是笑他在做梦。他们确实不了解他。

他想到这里，觉得愤愤不平，好像心里有许多话要伸诉出来，但看见陈真的挣红了的脸，便不禁想到这个青年把他的生命缩短在什么上面，他是如何不顾性命地努力着，究竟为了什么人。于是他觉得纵然陈真的主张错了，自己也没有权利来反对他，因为他是把他的生命牺牲在这上面了，而且是为了别人。最后他对陈真就起了崇敬的感情，同时还带了关切的眼光看他，一面说："你也应该保养身体才是，何必这样容易动气?"

"他是没有办法的，他那样不顾性命地工作，那样不讲卫生，真不行。我看他也应该找一个女人才好，"吴仁民微笑道。这微笑里面含得有痛惜。他笑，是为了不愿使自己的话变得很伤感。

"那么我把张若兰介绍给你好不好，又漂亮，又温柔，又体贴，"周如水笑着对陈真说，这是在和他开玩笑。

陈真摇了摇头带笑说："去罢，你的小资产阶级的女性!"又说："你何必那样客气，把你的人让给我呢?"他还是笑着，他没有一点伤感，他对于自己的身体素来就不关心。

“真，老实说，你那种办法我不赞成。一个人做事并不在目前的两三年，你何必那样性急？你的身体我们很关心。我们做朋友的不能眼睁睁看见你这样不爱惜地摧残你自己！”吴仁民感动地说，他的声音微微在颤动。他似乎害怕陈真不肯静静地听完他的话，所以故意把话说得很快，但结果这激动却使他说不下去了，陈真惊讶地望着他，他也挣红着脸默默地看陈真，过了半晌才接着说下去：“我们劝你，你总不肯听我们的话。所以我主张找一个女人来管束你，像一个媬姆照料一个小孩，给你安排一切……”

陈真听到这里就微微一笑，打岔说：“就像瑶珠对你那样，是吗？”

周如水本来有些伤感，听见这句意外的话，忍不住扑嗤地笑出声来。

“真，你真是岂有此理！”吴仁民又气又笑地对陈真说：“我和你说正经话，你不应该跟我开玩笑！你难道就一点不爱惜你自己？你知道我们对你——”他很激动，不能把话说清楚，就不得不把它咽住了。

陈真默默地站起来，他看了吴仁民几眼，他懂得那眼光，那表情。他再看周如水，周如水的眼睛在发亮。他知道朋友们还在爱他。他感到一阵温暖，昂起头在房里走了几步，然后用感激的眼光再去看吴仁民，声音明朗地说："谢谢你。我也很明白你的意思。你看我不是过得很好吗？"

"很好？但是你不觉得你的身子一天天地在瘦下去吗？我们看得很清楚！"吴仁民差不多要发出了绝望的哀鸣。

"不错，真，我去年看见你还比现在要强健许多。你的病又不是什么不治之症，就坏在你不爱惜自己的身体。你纵不为自己打算，你也当想到我们大家对你的一片好心，"周如水感动地努力说，他觉得他要哭了，他掉过头去不敢再看陈真一眼。

陈真微微地叹了一口气，自语似地说："你们为什么单单注意到我一个人？我是不要紧的，只要你们都好。……我知道你们爱护我。然而我这人是没办法的。"他走回到躺椅前面，坐下去，嘴边勉强做出一个微笑，继续说："不要谈这事情。你们快把我说得哭起来了。我刚来的时候本来是很高兴的。"他说完就闭了眼睛把身子躺下去。

这一来大家都没有话可说了。静寂统治着这房间。周如水掏出手帕暗暗地揩眼泪，吴仁民默默地咬着嘴唇，过后就埋下头去看他刚才在桌上翻开的书本。

过了一会陈真忽然睁开眼睛惊愕地看那两个人，马上做出一个笑容，大声说："如水，还是你的问题要紧。你现在究竟打算怎样？"过后他又望着周如水的刚刚抬起来的长脸等候这朋友的回答。

“怎样办？我现在还没有决定呢，”周如水迟疑了一下仓卒地回答道，他露出受窘的样子，在他的脸上看不出一点确定的表情。

“没有决定？”陈真惊讶地问：“你不是写信说已经不成问题了吗？”

周如水痴呆地望着陈真，半晌说不出话来。他有点害怕回答陈真的问话，但又不能不回答，只得随口说道：“信上写的什么我自已也记不起了。问题确实是有的，而且很复杂。”

陈真没有开口。

“有什么复杂？简捷地说就是你没有勇气！”吴仁民冷冷地说。

陈真这时忽然大声笑起来，但是周如水却涨红了脸表示不服地争辩道：“哪个说我没有勇气？我要是决定做起来，我就会拼命干去，什么也不顾的。我的勇气比什么人都大！”他说着颇有点自负的样子，他这时候真正相信自已有很大的勇气。

“只是要等你决定，可就难了。你一生至多也只有一两次的决定，”吴仁民冷笑道。

周如水摇摇头，气恼地望着他们，过了半晌，才说：“你们不了解我，我的问题是很复杂的……”

他刚说到这里就被陈真抢了去说：“是的，你有自己不爱的妻子，自己不认识的孩子，你有年老的父亲母亲。……这我都知道。你还有什么呢？”

“怎么他已经结过婚了？”吴仁民惊讶地说：“我们都不知道。他只告诉我们说他并没有结过婚！”

周如水受了这一顿抢白，气得说不出话，又不好对他们发作，便发呆地望着他们。

“这就是他的复杂问题了，”陈真点头说：“他的朋友里面只有我一个人知道这件事。我在日本和他同住过半年，他的家信我都看过。”歇了歇，他又对周如水说：“其实这丝毫不成问题。实际上你差不多和家庭脱离了关系。你在外面爱上了一个女子或者和他同居或者结婚，没有一个人会来干涉你。”

“只是我的良心怎样过得去？”周如水现出苦痛的样子，这时候他好像把自己当作了一个伟大的牺牲者。

“良心？什么是良心？”吴仁民在椅子上笑起来，“这和良心有什么关系？你自己爱上一个女子和她结合起来，那是很自然的事。家里的妻子是父母替你娶的，那不是你的妻子，那是他们的媳妇，让他们去管罢。”

“这样岂不很使父母难堪吗？岂不是从此和家庭完全断绝了联系，永远不能够回家再见父母一面吗？这太残忍了！”周如水悲戚地说。

“那么就索性离婚罢，”陈真用了近乎残酷的声音说，好像丝毫不同情他似的。“你能够离了婚，倒也算你一生第一次做了一件痛快的事。”

“离婚?”周如水不懂似地念着。这两个字像鞭子似地打在他的头上，他用手抚着额，现出惊恐的样子。这两个字太可怕了，是那靠良心生活的他所不能够忍受的。他忽然惊惧地叫道：“不能，这是良心所不允许的。不但不能够实行，而且连提说也不行，提出来第一我的父母就会受很大的打击，这会使他们伤心。我还有良心，这样的事我不能够做!”

一阵愤怒的光掠过陈真的脸，他对于借良心做护符的周如水起了反感，他的面容变得庄严起来，眼里发出强烈的光，透过眼镜刺在周如水的脸上，刺得周如水的脸发痛。他说:“良心，去罢，我不要良心！我正要使那般人，使一切的人会因了自己的错过而受到惩罚。不管这犯错误的是父母或是别人，都该受惩罚。……把一个人生下来在前面给他安放了希望，用这来引诱他，却在他快要达到希望时把希望给他拿走了，另外给他造就一个牢狱，把他关在那里面，使他没有青春，没有幸福，使他的生活只是长期的受苦。把儿女当作自己的玩物，由自己任意处置，这样的父母是应该受惩罚的。我们正应该使他们为自己所做的事而后悔呢！而你，你却以为应该为他们牺牲一切，你却躲在良心的盾下，放弃了你的对社会对人类的责任。你真是个懦夫!”他的后面的话，因了感情的激动说得非常快，周如水和吴仁民两人都听不清楚，不过他们知道他动了气。他是很容易烦躁的，大概是因了身体贫弱的缘故。但过一些时候，他又会平静起来。所以大家也不去管他。即使不赞成他的话时也不去驳他。这时他说完话，便又默然了，脸红着，样子很是苦恼。

这些话太可怕了，在周如水的耳里听来是很荒谬的。要是说话的是别人，他一定会和他争吵。然而年青的陈真躺在他的面前喘气。这个人和他一样也牺牲了自己的青春和幸福，却不是为了少数人，是为了大众。而且更超过他的是这人整日劳苦地工作，从事社会运动，以致得了肺病，病虽然轻，但他在得了这病以后反而工作得更勤苦了。别人劝他稍微休息时，他却只说："因为我活着的时间不久了，所以不得不加劲地工作。"如果不是一种更大的爱在鼓舞着他，他能够贡献这样大的牺牲吗？对于这样的一个人他无论如何是不能够拿没有良心的话来责备了，他找不出一句适当的话来答覆这人。他只是茫然望着这人的脸。

过了一些难堪的宁静的时候。

"你究竟怎样办？"吴仁民追逼似地问。

"我想，再仔细思索一下，"周如水渐渐恢复了平静的态度，沈吟地说，"我想我应该决定一个计画。如果我决定不管家庭，我自然要找个女子。不过我又想回家去，那么一切计划都谈不到了。"他的声音里带了忧郁，他似乎也很害怕回家去的样子。

“你回家去又打算怎么办？到乡间去做改良农村的工作吗？”吴仁民关心地望着他。

“我本来有这意思，我想回到自己比较熟习的乡间去，去办一些改良的事业，先从一个小的乡村做起，然后再扩充到几个乡村。办农场，办学校，办合作社，办民团，因为那些乡里常常有土匪，民团也是需要的……”

“这也很好，不过我怕你一个人去做也很困难，”吴仁民点头说。

周如水的脸变得更忧郁了，他平日很少是这样忧郁的。他焦虑地说：“然而这是不可能的。我把这意思写信告诉父亲，他就写信来骂我说：‘你读了这许多年的书，怎么竟然弄昏了头脑想起归农来了？你快不要再提归农的话罢。几个月以前有两个首都农业专门学校毕业归来的学生跑到乡下去，住不到两个月就被人捉将官里去，说他们是共产党，把他们砍了头。你要回来就快息了归农的念头罢。’这样看来，即使回家去，‘土还’也是绝对不可能的了。”

“那么你怎么办呢？”吴仁民的两只眼睛就在他的脸上盘旋，使他无法逃避。

“我也没有别的办法，”他茫然回答着。

“我说就不要回去罢！”吴仁民直捷了当地说。

周如水现出为难的样子说：“不回去，良心上又好像过不去。两个月以前我还在东京的时候，父亲接连来了两封信要我马上回去，说八九年没有看见我，不知道人怎么样了，很想看看我。他以为我在外面读了八九年的书，又在外国大学毕了业，很可以回省去做官了。”

“做官？我看你的性情决不宜于做官，”吴仁民插口说。

“就是因为这样，所以我很踌躇。做官呢，我不愿意；归农呢，又不能够。回家去是什么事也不能够做的。”他说着，很是焦虑，似乎想不出一个两全的办法。

“那么不回去好了。”

周如水并不注意吴仁民的话，只顾自己说下去：“我想了许久，总想不到一个办法。有时我竟然想不顾一切跑回家去，虽然明知道我回去于家人于我自己实际上并无多大好处，我觉得要这样良心才得安宁。”

“其实我看来你没有一点可以回家的理由。”

“你还不明白，……父亲年纪大了，近年来他的生意又完全失败，家里生活也不充裕，很希望我回去补助家庭。……而且我有许多亲戚，他们真正苦得很……大部分是寡妇……我应该设法帮助她们，我如果不回去，她们怎么办呢？”

“回去又有什么办法？”吴仁民怀疑地侧着头问，表示不相信他的话。周如水回答不出来了。实际上他是没有一点办法的。这时候他的脑里只有“良心”两个字，究竟良心是什么，自己也不知道，如果有人把他所谓的良心仔细分析给他看，他也会失笑罢。

吴仁民觉得这个人真是不可以理喻的，再和他讲下去，只是浪费精神，便捺住心头的火气，淡淡地对他说："好，你回去好了，我赞成你回去，最好早一点动身。"

周如水不知道吴仁民说的是反面的话。他以为吴仁民真的主张他回家去，但他听见别人赞成他回家，他自己倒又踌躇起来了。先前他觉得似乎非回家不可，这时候却觉得回家去是太不行了。尤其是抛撇了他所喜爱的张若兰，回家去和他的丑陋的妻子过无爱的生活，这思想是他所不能够忍受的。他便痛惜地说："回家去恐怕就没有机会再出来。而且我的计划，我的志愿，都无法实现了。还有她……"说到这里他马上住了口。

吴仁民也不去注意这个"她"字究竟指的什么，因为在口语里他分辨不出是说的"他"字或"她"字。他只是讥笑地说："你不是在说牺牲，说良心上的慰安吗？还顾得这些小事情？"

周如水不说话，心里很难受。房里是片刻的静寂。

"你到这里来，写了多少字？"吴仁民觉得无话可说，忽然想起这事情就问道，同时他也想换个话题和周如水谈点别的事情。

"原稿纸不到两页，算起来不过六百字，"周如水淡淡地回答道。

“怎么这样少？这地方很宜于写作。”

“我本来也是这样想。谁知刚刚到这里，就遇见了她，”说着，他自己也忍不住扑嗤笑了。

“那么我劝你还是放弃了回家的念头罢，去和她结合好了。我看你已经入迷了。”吴仁民看见他笑起来，以为事情有了转机，他会改变主意，便又诚恳地劝他，希望他去走幸福的路。

“这我还不能够决定，我的问题很复杂，须得有长时间的思索才可以避免他日的后悔。”周如水的脸上依旧没有一点坚决的表情。

“你已经想过好几年了，”那许久不说话的陈真这时站起来用明朗的声音说：“可是依旧像现在这样地没有结果。你的所谓的良心，好像一个纸糊的灯笼，戳破了是不值一钱的。这良心，仔细分析起来，就是社会上一般人的毁誉。……你想着怎样做就不会引起社会上一般人的非难，甚或会会引起他们的赞许，于是你就自以为得到良心上的慰安了。你是没有勇气的人。你没有勇气和现实的苦痛的生活对面，所以常常逃避到美妙的梦境里去。我呢，我不像你，我要在苦痛的现实里生活下去。你以为我对我的父母就没有一点爱慕吗？你以为我是一个残酷无情的人吗？不，决不是这样，我也很知道爱我的父母的。然而我生下来母亲就死了，我只有一个爱我的父亲。在十六岁离家时我也流过眼泪。不到两年父亲死了，家里接连来了几个电报叫我回去，我也不理。我这样做自己也感到苦痛，但我并不后悔，我这个身子是属于社会的，我没有权利为了家庭就放弃我的为社会的工作。我不怕社会上一般人的非难，我不要你所说的良心上的慰安，我和你是完全两样的人。但我也有我的满足。我把我的爱，我的恨，都放在我的工作里面，将来有一天我会看见我的成绩，我的爱和恨会有什么样的影响。”他说这些话，态度非常坚决，他的紧握着的拳头像铁块一般，他挺直地立着，显得非常有力，似乎是一座罗丹雕刻的石像。

“你也许有理，”周如水含糊地说，因为他觉得他没有话可以驳倒陈真了，他一方面是感动，一方面又是痛苦，他不能够看着陈真把他所崇拜的良心分析得那样不值钱。他还在回味着陈真的话。

“真，你和他谈这些有什么用处？我们愈和他解说，他就愈弄不清楚。”吴仁民把周如水的话通盘想了一番，他似乎看透了周如水的心，他知道和周如水再辩论下去，也不会有什么结果。他有些可怜周如水，但他不愿意再谈论这件使他们大家都不快意的事情。他说话时还带了一点怒气，然而这怒气已经是很淡的了。“如水这个人服的不是理论，是事实。我们的话他不会听从。但是张若兰，她也许有办法……”

“张若兰？哼！我就不相信，”陈真接着冷笑一声，他打断了吴仁民的话头，他还想说下去，然而在这时门上起了短而轻的叩声。

“她来了，”周如水站起来低声说着，露出一个快活的但多少带点激动的笑脸走去开门。这时一切困恼的思想都飞走了。

房门一开，外面现了张若兰的苗条的身子，她温和地微笑着。

“原来这里有客，我不打搅周先生了。回头再来罢，”她刚要走进房间，看见里面有男人的背影就停了脚步迟疑地说。

“不要紧，请进来。都是熟人。陈真和仁民你都见过。请进来坐坐罢，”周如水听说她要走。就有点慌张起来，连忙殷勤地挽留道。

张若兰也不再说话，只是唯唯地应着，就走进来，和众人打了招呼，便在一把桃心木的靠背椅上坐下，正在陈真的斜对面。

“好久没有看见密斯张了。前几天在剑虹那里听说密斯张搬到了这里来住。瑶珠很想来看你，本来她在家里很闷，也该到外面来玩玩，只是她这几天身子又不大好，所以没有来。”吴仁民看见众人不开口，便客气地对张若兰说。

“要吴太太从那么远的地方来看我，倒不敢当，”张若兰谦逊地回答，她的脸颊上因微笑现出了酒窝，这把周如水的眼光吸住了。周如水的眼睛始终没有离开过她的脸颊。但她完全不曾注意到。她只顾说下去："我早就想到你们府上去看吴太太的，只是我忘记了你们的新地址，前两天才从剑虹先生那里问清楚了。"歇了歇她又问："吴先生近来还在写文章吗？许久没有在杂志上见到你的大著了。听剑虹先生说，你近来在翻译一部法国革命史，很用功。"

"那不过刚刚开了头，近来因为瑶珠身体不大好，所以我的工作也做得很慢。"

"吴太太的身体素来不大好，应该多多休息才行。近来没有什么病痛罢？吴先生，你最好劝她到这里来住几个月，对于她的身体也有好处，"张若兰恳切地说，她很关心吴仁民的妻子的健康。

吴仁民感谢地看她一眼，然后说："其实她也没有什么大病。只要好好地保养就没有问题。不过她有一个坏毛病，她爱操心。无论什么事情，她总要亲手去做，一点小的事情，也不肯放过。她对我太好了，我的一件小事情也要她操心。我劝她，她总不肯听我的话。她的固执就和陈真的差不多。陈真拼命摧残自己的身体，我们劝他，他也不听。他这个人也是没有办法的，"吴仁民觉得自己的语调渐渐变得伤感了，便突然把话头拉到陈真身上，同时又望着陈真一笑，使听话的人忘掉了瑶珠的事情。

“你真正岂有此理，居然当面骂起人来了！”陈真带笑接口说道。

这一来众人都笑了，就这样驱散了房里的忧郁的空气。

“是的，吴先生的话并不错，陈先生的身体的确应该当心。我们看见他的书一本一本地接连出版。好像他写得比我们读的还要快。我就有点替他躭心。剑虹先生常常对我们谈起这事情。剑虹先生说陈先生好像是个不知道未来的人。陈先生，你说对不对？”张若兰说罢，关切地看了陈真一眼，略略低下头去微微一笑。

陈真用感激的眼光回看她，他的脸上忽然有一道光掠过，他微笑了。他自语似地说：“总之你们都有理……”还有一句话却被他咽在嘴里了。

“陈先生，近来不常到剑虹先生那里去罢。佩珠那天还谈到你，还有蕴玉，她也……”张若兰的声音非常清楚，她说普通话不大习惯，所以说得很慢。陈真没有注意到这个，因为这时候他略略仰头看天花板。他不等她说完便打岔地说：“因为近来事情多一点，所以没有到剑虹那里去。密斯张一定常去的。佩珠近来还好罢。还有那位密斯秦，近来看见吗？”蕴玉就是密斯秦的名字，因为张若兰刚才提到她，所以他便问起她，他知道她是张若兰的好友。而且他曾经根据《三个叛逆的女性》这书名，给他在李剑虹家里常常看见的三个女子起了一个“三个小资产阶级的女性”的绰号。那三个女子就是：张若兰，秦蕴玉和剑虹的女儿李佩珠。他觉得一珠，一玉，一兰，恰恰可以代表小资产阶级的女性的三种典型，所以给她们起了这绰号。

“啊，”张若兰带笑说。“说起蕴玉，她就在这里。我们只管谈话倒把她忘记了。她现在还在我的房间里，她不知道你们两位也在这里，她听见我说周先生在这里。她想见见周先生所以要我来问一下。”她把眼光掉转到周如水的脸上问道：“周先生，就是我前次和你说起过的那个同学。你愿意见她吗？”

周如水的眼睛这些时候就不曾离过张若兰的脸颊，现在听她说秦蕴玉要见他，心里更是高兴得了不得，连忙站起来催促似地说：

“那么就请密斯张马上把她请过来罢。”

张若兰带笑地应着，出去了。门开着。周如水怀了一颗跳动的心等待着，过了一会，张若兰伴着一个比她稍微高一点的女郎走了进来。

在陈真的眼里显现了那个曾经对他表示过好感的姑娘的丰姿：一个长身玉立的女子，一张瓜子脸上并没有什么特征，因为各部分都安置得恰到好处。是一个明眸皓齿的女郎，而且打扮得很摩登，烫头发，画细眉，抹粉，还擦了鲜艳的口红。她穿着一件黄色印度绸的小花的长旗袍，少女的充实的胸膛在那下面微微地突出来，脚上穿的是一双高跟鞋。“又是一个小资产阶级的女性，剑虹家里的三女性在这里已经有了两个了。”陈真想着，忍不住在心里暗笑起来。

吴仁民也是秦蕴玉认识的。所以张若兰单把周如水给她介绍了。周如水心里非常高兴，他把她们两个让到那张大沙发上面坐下，自己却坐在旁边的靠背椅上。他非常注意秦蕴玉的说话和举动，他马上就觉得秦蕴玉很可爱，不过他也明白她是一个不容易对付的女子。秦蕴玉虽然比张若兰更美丽，更活泼，但是她的锋芒太露，倒不如张若兰稳重一点好。张若兰含有不少的东方女子的温淑的风味。

秦蕴玉的嘴很厉害。她和周如水虽是初见，却很大方地对他发出不少的问话。但同时她又不使别的客人冷落，她的眼光好像就在房里每个人的脸上不断地轮流转动一般，使每个人都觉得自己在和她讲话。有她这一个人在这里，房里就变成十分热闹了。她和周如水谈得最多。她问他关于日本的风俗人情，又问起日本文坛的现状以及他对于日本作家的意见，因为她原是研究文学的。周如水自然很详细地一一回答了她，他并且趁着这机会把他所崇拜的童话作家小川未明大大赞扬了一番。但她对于这位作家并没有多大的兴趣。引起她的注意的还是那位以《放浪记》出名的青年女作家。于是周如水又从箱里取出那个女作家的半身照片给她看。同时周如水又简略地叙述从下女而终于变到日本近代第一流女作家的她的放浪生活，又叙述他和她的会见，并提起她在书中所说过的“男人都不是好东西”的话。这些话果然引起了众人的注意，尤其是给秦蕴玉唤起一种渴望，这渴望究竟是什么，她自己也说不出来，只觉得心里有点空虚似的。

“在中国，生活太沉闷了，”秦蕴玉自语似地低声叹道。

“其实活在世界上就不见得不沉闷，”陈真顺口答了一句。

“为什么?”秦蕴玉忽然掉过头看陈真，她的两只锋利而活动的眼睛不住地在他的脸上闪耀，威压似地逼着他答话。

“因为我在日本住着就和在中国住没有两样，”陈真避开了她的眼光装着不注意的样子冷冷地答道。

“这是偏见，我不赞成！在日本究竟好得多!”周如水马上起劲地打岔道。他在日本住了七年，所得的全是好的印象，所以他看见人就称赞着日本的一切。

“那么你问问仁民，他也在东京，京都两处住过几年。难道他也有偏见?”陈真抢着分辩道，但他并没有动气，脸上还留着笑容。

吴仁民正要开口，却被秦蕴玉抢着对陈真说了：

“陈先生，你一个人是例外。读你的文章就知道你这个人不会有什么愉快的思想的。”

“然而我也常常在笑。有时候我也觉得快活，”陈真平静地，甚至带了嘲弄的口气说。

“我不相信！这是不可能的，”秦蕴玉努了嘴答道。

“这就怪了，密斯秦，这是我的事情，为什么你会不相信？为什么又不可能？”陈真扑嗤笑起来。他对于她的故意追逼的问话倒感着兴味了。因为他平日最讨厌沉闷的谈话，颇欢喜热烈的辩论，即使是强辩，他也不怕。

“因为你的文章我差不多全读过。我知道你是拿忧郁来培养自己的。你那股阴郁气真叫人害怕！”秦蕴玉侧着头，用清朗而缓慢的声音，半开玩笑半认真地说。

“那么你不要读它们就好了，”陈真依旧淡淡地说，可是他的心境的和平被她的这段话扰乱了。忧郁开始从心底升上来。他极力压制着它，不使他的心境的变化给她看见。他甚至挑战似地加了一句：

“我不相信我的文章你全读过。”

秦蕴玉微微一笑，她正要开口说话，这时张若兰在旁边现出一点不安的样子，她把身子靠近秦蕴玉，轻轻在秦蕴玉的肘上一触。秦蕴玉略略回头看她一下，却依旧去回答陈真的话：

“陈先生，你不相信，哪天到我家里去看！你的书我本本都有，而且读得很仔细。你不相信，可以问她。”

她说着，就带笑地指着张若兰。

张若兰本来希望她换一个话题来说，但到了这时却也不得不开口了：“是的，陈先生，她说的确实是真话。并且我还借过几本来读过。”

陈真说不出话来了，他有点窘，心里想着：三女性中的两个在一起，说出话来都差不多。吴仁民和周如水在旁边看见他的窘相，不觉感到兴趣地笑起来。

张若兰在秦蕴玉的耳边低声说了两三句话，秦蕴玉回头望着她一笑，然后掉头去看陈真，她故意侧着头，两只亮眼睛就在他的脸上盘旋。她跟着他们在笑，用手巾掩了口，全个身子因了笑而微微地颤动，胸前两块肉隐约地在旗袍下面起伏着。

陈真的沉重的眼光透出眼镜在她的脸上和身上轮了一转，从心里浮出微笑，想：“在三女性中倒是玉最能引诱人。”但他马上又把眼光掉开，去看那挂在壁上的房间价目表，不去想她了。

“陈先生，我看你的每本书里面都充满着追求爱的呼号，不管你说这是人类爱也好，什么爱也好。总之你也是需要爱的。你与其拿忧郁来培养自己，不如在爱情里去求安慰。剑虹先生也说你故意过着很苦的生活，这是不必的。你为什么不去追求爱情？为什么要这样地自苦？你为什么不找个爱人？我不相信就没有一个女人爱你！……”秦蕴玉笑够了时又做出庄重的样子对陈真追逼地说了上面的话。但她的话还没有说完，就被吴仁民打岔了。

“密斯秦，算了罢，你对他说这些话，就等于对牛弹琴。我们刚才还劝过他。他连生命都不要，还说什么爱情？说什么女人？他这个人好像是一付机器，只知道整天转动，转动……”

陈真沉默着，他的脸上带着微笑，但他的心开始在痛楚了。

秦蕴玉依旧侧头望望陈真，一面回答吴仁民道：“我不相信会有这样的人！方才周先生不是说那位《放浪记》的作者写过‘男人都不是好东西’的话吗？这话是很可玩味的。世界上没有一个男子不爱女人的。每一个女人总有许多男子跟着追逐她，死命和她纠缠，不管她爱不爱他。这样的男子到处都是。”她说了又抿嘴笑起来。

陈真的心依旧是很平静的，他微笑地默默看她，并不去注意她的话。他知道她的话是有根据的，他记得剑虹告诉过他，她在学校里受过许多同学的追逐和包围，她每天总要接到几封不认识的景慕者的情书。她现在成为这样的女子，和这种环境也有点关系。所以他对于她的态度的大方和活泼，是很能了解的，一点也不奇怪。不过他心里暗想：“如果你要来试试你的玩弄男人的手段的话，那么你就找错了对象了。”他不觉暗笑起来，并不回答她。

这时周如水不能够忍耐了，便和秦蕴玉争辩起男女的好坏来。他是这样的一个人：心里有什么话，口里总得说出来，听了不合意的话总要争辩几句，不管和他说话的是什么人。秦蕴玉的嘴也是不肯让人的，不过她的战略比周如水的厉害得多。她说了几句正经话，总要夹一两句玩笑的话在里面，等周如水快要生气的时候，她又使他发笑了。这其间吴仁民和张若兰也各自发表他们的意见，来缓和这争辩。陈真不再同秦蕴玉争论了，他靠在躺椅上带了兴味地旁观着。

话题从来是愈说愈扯得远的，后来他们又谈到那个下女出身的女作家，周如水看见有机会夸耀他在日本的见闻，自然不肯放过，便说："在咖啡店的'女给'中也有几个了不起的人物，而且在那里面也有知道人类爱的，这也可以多少给陈真的主张作个证据。"他说着便对陈真一笑，其实他忘记了陈真并没有对她们正式发表过他的主张。"记得有一次我去看一个日本友人和他一道出来，走到一个小咖啡店里，一个年轻的女侍来招呼我们，坐在我们的旁边谈了许多话。我的朋友问她为什么要做女侍，她的答覆是出乎我们的意料之外的。她说，她爱人类，尤其是爱下层阶级的人。因为那般人整天被资本家榨取，又受社会的歧视，整天忧郁地劳苦着，一点快乐也得不到，只有在这一刻到咖啡店里来寻求一点安慰，所以她们做‘女给’的便尽力慰藉他们，使他们在这一刻可以得到一点安慰而暂时忘掉生活的痛苦，或者给他们鼓舞起新的勇气，使他们继续在这黑暗的社会中奋斗挣扎。她又说：‘我不是来供人玩弄的，我是因了可怜人才来安慰人的……’她满口新名词，什么‘布尔乔亚，’什么‘普洛利塔利亚，’说得很自然，并不像小孩背书那样。看她的年纪至多不过十七八岁，相貌和举动都有不少的爱娇。我的朋友说，她大概是一个社会主义者。以后我也就不曾再遇见她了。想不到世界上还有这样的人。……”

“可惜周先生以后没有再去找她！其实和她认识也好。说不定将来又是一个第一流的女作家呢！”秦蕴玉说。

“可惜密斯秦不是男子。如果密斯秦是男子，我想你听见这个故事，一定会到日本来找她的，”周如水笑着说。

“是啊，我如果是男子，我一定要做一个有勇气的男子。我想到哪里就要做到哪里。像那些做事老是迟疑不决，一点也不痛快的男人，我看也看不惯，”秦蕴玉热烈地说。她的样子很是坚决，不住地点着脚，两只眼睛竖起来，两颗黑眼珠灵活的在周如水的身上轮了一转，又转注到陈真的平静的脸上，最后又把眼睛掉去看张若兰。在从陈真的脸上移到张若兰的眼瞳上之间，她的眼光还在吴仁民的脸上停留了一下。她常常这样地看人，她常常以为自己比男人高贵，因为好像每个男人都有所求于她。她说以上的话是对一般的男子说法，并不是特别指周如水，事实上她不知道周如水的性格。而在陈真的意思，却以为她是在故意地挖苦周如水。至于周如水自己呢，他一点也不觉得这些话有什么触犯他的地方，因为他相信自己是一个很勇敢的人。

他们又谈了一些话。在外面天色已经晚了。周如水留下这几个客人在他的房里吃了晚饭。晚饭后他又约他们到海滨去散步。

是一个月夜。半圆月已经升在海面上了。前面是一片银波，在淡淡的月光下动荡着，像数万条银色鲤鱼。

海岸边散步的人并不多，有两三对年轻的夫妇往来笑语，都是海滨旅馆的寓客。还有几个小孩在那里扑打。这五个人在石级上坐了一些时候，又起来闲走着。他们一路上谈了好些话。这其间以秦蕴玉和周如水两人的话最多，而陈真的话最少。

后来陈真说有事情要告辞回去了，周如水极力挽留他，但他坚执着要回去。吴仁民也说要走，因为他的妻子身体不好。他们两人便一道走了。这时还赶得上最后的一班火车，从这里步行到火车站又得费去三十多分钟的时间。临走的时候陈真听见秦蕴玉问他为什么近来不肯到李剑虹家去，他回答说没有时间。她又说要到他的家里去看他，他谢绝地说自己住的地方太窄，而且人常常不在家。秦蕴玉装着嗔怒的样子坚执着要他到她家里去玩，又邀请了吴仁民和周如水，他们答应了，他也只好说“有空来”。

他们去了。秦蕴玉被张若兰留着，这晚她睡在张若兰的房里。

五

两天后傍晚陈真又到海滨旅馆去找周如水。周如水正和张若兰、秦蕴玉两人走出旅馆，打算到海滨去散步，在门口遇见了陈真，便约他同去。

这一次比较去得早一点。天空还留着一线白日的余光。空气却已凉爽了。黄昏的香味和它的模糊的色彩，还有那海水的低微的击岸声混合在一起，成了一幅色、声、味三者交织着的图画。海上有渔船飘动着向岸边驶来。时而有一阵渔人的高吭的歌声撞破了这一幅图画，在空中荡漾了许久。

张若兰今晚换了一件淡青色的翻领西式纱衫，淡青色的长统丝袜和白色运动鞋，人显得更年青，更活泼，更新鲜，更妩媚。秦蕴玉也换了同样的西式纱衫，不过是粉红色的，而且里面的跳舞式的汗衫也透露出来。她走动的时候，胸前的两堆肉块也似乎隐约地在汗衫下面微微地颤动。下面依旧是肉红色的长统丝袜，是那一双光致浑圆的腿。她显得更娇艳了。

她们两人并立在岸边，眼望着天际，望着海。身材高矮只差一点，声音的清脆差不多，各人把她的独有的特点表现出来，来互相补足，这样吸引了来往的行人的贪婪的，赞赏的，艳羡的目光。她们共有的是那少女的矜持的神情。她们靠近地立着，好像是一对同胞姊妹。周如水立在她们的旁边，带笑地和她们谈话，他的样子表示出来这晚上他的快乐打破了以前的记录。

陈真故意站得离她们较远一点，因为他不愿意闻到那种新鲜而微妙的少女身上所特有的香味。可是那刺鼻的香味有时依旧随着风送来，使他几乎也变得飘飘然了，但他一转念间又不禁失笑起来。他想道："我怎么会到这环境里来?"于是他的眼前现出了种种的速写：正在热烈地讨论着某某问题的同志们，大会场里某人的动人的演说姿势，亭子间里的纸上工作，茅屋中的宣传式的谈话，一叠一叠，一堆一堆的书报和传单，苍白而焦急的脸，血红的眼睛，朴实而期待的脸……然后又是那长睫毛大眼睛、老是微笑的团团的脸，接着又换上淡淡地画了眉毛染了口红的瓜子脸。这两个脸庞交替地显现着，而且不复是轮廓的速写，却是细致的工笔画了。这两个面庞逐渐扩大起来，差不多要遮盖了一切，同时鼻里又来了那神奇的香味。他惊异地张大了眼睛看，发见自己确实是在这样的环境里。前面是海，是天空；旁边是那两个充满了青春的活力的女郎。他开始在想怎样才可以脱离这环境了，虽然在两个女郎身边也许可以感到一种特殊的兴味，但他觉得自己的适当位置不是在这里，而是在那窄小的亭子间，在那广大的会场，在那些简陋的茅屋。

她们问了他几句话，他简单地回答了。秦蕴玉忽然像记忆起什么事情似的笑着对他说："陈先生，你为什么不走过来呢？你是怕我们会吃人吗？"

陈真坦然笑了，他没有一点窘状。他想了想，慢慢地走近几步，开玩笑地说："不错，女人本来是吃人的。"于是众人都笑了。周如水接连笑着说："说对了。"

秦蕴玉笑得微微弯了腰，随后又站直了，她嗔怒地辩正道："谁见过女子吃人？如果女子吃人，为什么每个男人都要追求女子呢？我只知道'男人都不是好东西'……"最后她引用了那个日本女作家的话。

众人又笑了，周如水不服这一番话，他辩驳道："为什么男人都不是好东西？既然男人都不是好东西，为什么你们女人又离不掉男人？"

陈真接着玩笑地说："说每个男人都要追求女人，这句话就不对。因为我就是个例外。"

"真的？"秦蕴玉侧过头望着他一面戏弄似地问道。虽然夜已经来临了，但这时在淡淡的月光下，他还可以觉到她的两个眼珠光亮地在他的脸上盘旋，是那么富于诱惑性的眼珠。他开始觉得自己的心有点被扰乱了，便把脸仰起去看天空，月光早从海面升起来，是一个淡红色的玉盘。他渐渐恢复了心境的平和，淡淡地一笑，然后回答道：

“将来的事情谁知道！你们等着看罢。”

秦蕴玉第一个扑嗤笑起来，众人都笑了，陈真也止不住笑。

秦蕴玉甚至在笑的时候，也不曾放过陈真的举动。这个狡黠的女郎似乎很明白地看出了他的弱点，便更进一步地追逼他道：“要是有人给你介绍一个，又怎样？一个又漂亮，又温柔，会体贴你，安慰你帮助你的。”她好像故意用了使人沉醉的声音。

陈真仿佛感到她的热气直喷到了自己的脸上来，不觉掉头看她一眼。他的眼光和她的遇着了。她的眼光太强烈，他不敢拿自己的去和她的相碰，便连忙掉开，但他已经明白了。他的心猛烈地跳动起来，他极力拿各种思想去镇压它。他呆呆望着天空，看那一轮圆月在碧海似的天空中航行，一面用了大的努力笑着回答说：

“你放心，不会有人来管这种无聊的闲事。”

“陈先生的嘴比他的文章还厉害，”张若兰在旁边笑着插嘴说。

“他这张嘴素来不肯放松人，他最爱和人吵架，我们常常被他挖苦得没有办法。今天也算遇着对手了，”

周如水愉快地附和着张若兰的话，一面和陈真开玩笑。

“这有什么厉害？这不过是强辩。而且他已经在逃避了，”秦蕴玉装出嗔怒的样子说。她看见陈真不答话，只顾在旁边微笑，便引诱似地再逼着问道：

“倘使我来管这闲事，我来给你介绍一个，你说怎样?”

陈真又把眼抬起去望天空，但她依旧觉得那一对眼光在搔他的脸。他微笑着，用力来镇压他的纷乱的心曲。他勉强地说了一句：“好罢，谢谢你。”他听见周如水在接连地询问：“谁？是谁?”又听见张若兰微笑说：“我知道蕴玉的花样多。”他心里暗暗笑着，这时他已经恢复了平静的心境。他便低下头装着不懂的样子挑战似地追问了一句：“那么，密斯秦，你给我介绍谁呢?”

秦蕴玉起初只是微笑不语，后来便提高了嗓子说道：“但是，陈先生，你还没有答覆我先前的问话呢！要你先来求我给你介绍，要你先答应我，你真正要一个女朋友，我才告诉你这人是谁。”

“然而我要先知道这人是谁，才肯回答你的问话，”陈真故意这样地固执着。

于是这两人开玩笑地争执起来，起初张若兰和周如水带笑地在旁边望着，后来他们也加入在中间说了一些话，这样就渐渐地把话题引到别的事情上面去了。

不久月亮进了云围，天顿时阴暗起来，陈真很想早些回家，便借口说怕要落雨，提议回旅馆去。他们刚刚到了旅馆，天就落起一阵大雨来。

陈真因了雨不能够回家，只得留在海滨旅馆，就睡在周如水房里的那张大沙发上面。

电灯扭熄了，过了好些时候，周如水还在床上翻身，陈真忽然在沙发上面低声咳了两三下。

“真，真，”周如水低低唤了两声。陈真含糊地应着。

“真，你看你近来身子刚好一点，现在又伤风了。你这几天夜里常常咳嗽吗?”周如水关心地问。

陈真的咳嗽声止住了，他平静地回答道：“并不一定，有时候咳，有时候也不咳。不过我平常每夜总是要弄到两三点钟才睡。”

“为什么要弄到这样迟呢?你也应该保重身体才是，”周如水同情地说。

“然而事情是那样多，一个人做，不弄到两三点钟怎么做得完?”陈真的声音开始变得苦恼了。

“事情固然要做，可是身体也应该保重才是，你的身体本来很弱，又有病，”周如水劝慰道。

“但是事情是彼此关联着的。我一个人要休息，许多事情就会因此停顿。我不好意思偷懒，我也不能够放弃自己的责任!”陈真的苦恼的声音在空中颤抖着。

“其实，像你这样年青，人又聪明，家境又还富裕，你很可以再到外国去多读几年书，一面又可以保养身体。你在日本也只住过半年呢！……你为什么这样年青就加入到社会运动里面？”

“我已经不算年青了，今年有二十三岁了。不过我在十四岁时候就有了这献身的欲望。”

“十四岁？怎么这样早？”周如水惊讶地问，“怎么你以前不告诉我？这样早！我想你过去的生活也许是很痛苦的罢。你以前并不曾把你过去的生涯详细告诉过我！”

“个人的痛苦算得什么一回事？过于看重自己的痛苦的人结果就做不出一点事情来。你知道我生下来就死了母亲，孩童时代最可贵的母爱我就没有尝到。自然父亲很爱我，我也爱他，可是他一天忙着许多事情，当然没有时间顾到我。从小孩时代以来我就追求着人间的爱。……那富裕的旧家庭是和专制的王国一样地黑暗，我整整在里面过了十六年。我不说我自己在那里受到的痛苦，我个人的痛苦是不要紧的，我看见许多许多的人怎样在那里面受苦，挣扎，而终于不免灭亡，有的甚至没有享受到青春的幸福。我又看见那些人怎样专制，横行，倾轧。我是有血，有肉，有感情的人，从小孩时代以来我就有爱，就有恨了。……我的恨和我的爱同样深的。而且我走出家庭进了社会，我的爱和我的恨都变得更大了。这爱和恨磨难了我许多年。我现在虽然得了不治之病，也许很快地就逼近了生命的涯沿，但我已经把我的爱和恨放在工作里面、文章里面撒布在人间了。我的种子会发起芽来，它会生成成熟的。那时候会有人蒙着我的爱，蒙着我的恨……”他说到这里又发出一阵咳嗽。

在黑暗中看不见什么，但周如水仿佛觉得自己是看见了陈真在那里和死的阴影挣扎的情形。后来他又觉得陈真已经走进坟墓里了，在那沙发上没有一点声音。一阵恐怖和同情抓住了他的心，他竟然流下泪来，为了他的朋友。“真，真，”他接连叫了两声，声音很悲惨。

“什么？”最后陈真惊异地回答。

周如水沉默半晌说不出一个字，过后他费了很大的力量才说出下面的话，而且这不是说出的，是挣出来的：“你睡罢，你需要休息，我是不要紧的。我一天又不做什么事。只是你应该多多休息呢！”又说：“是不是沙发上不好睡？我们两个交换一下，你来睡床上好吗？”他预备下床来。

“不要紧的，这里就好。你不要起来，”陈真接连地说，表示他一定不肯换。

周如水知道陈真的性情，便不起来了。他只说了一句：“好，你快快睡去罢。”说了他不禁在帐内低声哭起来。

第二天早晨天刚亮，周如水就醒在床上了。他听见陈真在沙发上翻身的声音。

“真，”他低声唤道。

陈真在那边应了一声。

“你昨晚睡得还好吗？”他揭起帐子问道。陈真面向着里面，躺卧在沙发上。他看不见陈真的脸。

“昨晚至多不过睡了四个钟头，翻来覆去老是睡不着。”

“那么你现在好好地睡一觉罢，”周如水用温和的声音劝慰道。但过了一刻他又想起一件事情，便对陈真说：“你在想秦蕴玉，所以不能够睡觉吗？”他忍不住扑嗤一笑。

“秦蕴玉？”陈真惊讶地、多少带点兴味地问，“你怎么忽然会想到她？”

周如水忘了昨晚陈真一番话。他的脑里只现着那明眸皓齿的女郎的面影，画得淡淡的眉毛，染了口红的小嘴，时而故意努着嘴，时而偏了头，两个明亮的眼珠光闪闪地在人的脸上转，还有……他忍不住微笑地对陈真说：“我看她颇有意于你。”

“有意于我？”陈真忽然小孩似地笑了起来。“你会这样想？真笑话！她不过和我开一次玩笑罢了。”

“不见得罢，看她对你的那样子，连我也羡慕呢！”

“那么你去进行好了，”陈真说着又笑。

周如水沉吟了一会才说："老实说我也很喜欢她。不过我已经有了张若兰，我不会和你争。我劝你还是赶快去进行罢，不要失掉了这个好机会。"

陈真只是笑了笑。

"你承认了吗？"周如水更得意地说。

"算了罢，不要开这种玩笑了。"

"开玩笑？我说的是真话呢！"

"那么你想我能从一个小资产阶级的女性那里得到些什么呢？"

过了一刻静寂的时候，钟响了，他们也并不注意究竟敲的是几下。

"真！"周如水用感动的声音说，"我劝你还是去进行好，你的工作太苦了，你应该找个爱人，找个能够爱你的伴侣来安慰你才好。秦蕴玉说得很不错，你也该在爱情里去求点安慰。你不该只拿着阴郁的思想去培养自己。你的文章里那股阴郁气真叫人害怕！而且我以为她也很了解你。你究竟还年青，你也应该过些幸福的日子，你也应该享受点女性的温柔的爱护。一个人生活到世界上来究竟不是只给与，而不领受的。这意思你该懂得。"周如水这时候忘记了他自己是完全不懂得这意思的。

"你何必这样自苦呢？世界上又不是只有你一个人！况且连平日劝人刻苦自励的李剑虹也以为你不必故意过活得那么苦。"周如水看见陈真不答话，便加了这两句。

“你的意思我也明白，”陈真歇了一些时候才慢慢地说，他的声音微微抖动着。“然而我们是完全两样的人。你需要一个女人，你有了她，你的性情也许会改变一点，也许会多少做一点事出来，因为你现在好像是一只没篷的船，你是需要一张篷的，”听到这里周如水要分辩，但刚刚开口又被陈真拦住了。陈真继续着说：“我呢，我需要的是工作。我的问题不单是异性的爱情所能够解决的。并且像这样整天地劳动，还嫌时间不够。哪里还有时间去和女性讲恋爱，我生在这世界上来，”“……不是当作一件奢侈品，我希望将来我把我的短促的生命交还与创造者的时候，我可以坦然说：‘我并不曾浪费地过着我这一生’，至于女性的爱护，这虽是值得愿望的东西，但我却无福享受它，还是让别人去领略罢。”

周如水歇了歇沉思了一会，才鼓起勇气说道：“你的话固然也有道理，然而你也该知道事情是永远做不完的。像你目前这样拼命地做，固然会有点成绩，但是为了这你就牺牲以后十几年甚至几十年的岁月，也不值得。活得好一点，可以活得久一点。活得久一点，做事情的时间也就多一点。算起来，你的生活方法也并不经济。而且你应该知道我们大家都爱护你，都希望你活得很好，过得很幸福。”

周如水的声音微微颤动着。他的样子非常诚恳，把陈真也深深地感动了。陈真几次想打断他的话，他几次动着嘴，但终于静静地倾听下去了。直到周如水闭了嘴，他的话语还在陈真的心上飘荡。陈真感到一阵暖热，好像有什么东西正从他的心里不住地往外面发散。他失了控制自己的力量。于是眼泪奔流似地淌了出来。他连忙把身子重翻到里面去，不让周如水看见他的眼睛。他静了一会，等到眼泪干了时才长长地嘘了一口气，然后努力地回答道：

“我知道，你的话我完全知道。老实说我也明白你们所说的道理。但是我的热情毁了我。你们不会了解：当那热情在我的身体内燃烧起来的时候，我是怎样地过着日子！那时候我只渴望着工作，那时候一切我都不会顾及了。那时候我不再有什么利害得失的观念了。连生命也不会顾及的。那时候只有工作才能够满足我。我这人就像一座雪下的火山，热情一旦燃烧起来融化了雪，那时的爆发，连我自己也害怕！其实我也很明白怎样做才好，怎样做才有更大的效果，但是做起事来我就管不了那许多。我永远给热情蒙蔽了眼睛，我永远看不见未来，所以我甘愿为目前的工作牺牲了未来的数十年的光阴。这就是我的不治之病的起因，这就是我的悲剧的顶点了。”陈真的苦恼的声音在这静寂的房间里绝望地战抖着，使得周如水的心里也充满了绝望。

“你使我想到了阿志跋绥夫小说《朝影》里面的巴沙……”周如水悲声说了这半句，正努力想接着说下去。却被陈真的惊叫声打岔了。

“巴沙？怎么你会想到巴沙？我和他完全不同，而且我也不会像他那样，就死得那么早！”陈真悲痛地惊叫起来，声音抖得更厉害，而且很悲惨，这里面充满着追求生命的呼号，把房间里的空气也变成很悲痛的了。

周如水被悲痛的空气包围着，他在苦恼的思想里打转，找不着一个出路。但是他突然明白了。他知道就在这一刻陈真对于生活，对于世界上的一切。甚至对于女性都很留恋。他自己决不愿意抛弃了这一切而离开世界，但事实上他终于拼命拿工作来摧残自己的身体，驱着自己一天一天地逼近坟墓。

“他为什么是这样大的矛盾。难道他的爱和恨竟然是这样厉害吗？”周如水苦痛地、绝望想着，他觉得这个谜是愈过愈难解透的了。

又过了一些静寂的时刻，四周的人声渐渐响起来，好像全个旅馆的人都起身了似的。阳光从白纱窗帷射进了房里，照在写字台上面。陈真突然翻身坐起来，脸上完全没有悲戚的表情。他坚决地咬了咬嘴唇，简短地说：“这些事情不必去提说了。”过后又加了两句：“过去的事就让它埋葬了罢。在我们的前面还横卧着那一条走不完的长路！”于是走到周如水的床前揭开了帐子看。他挺直地立着，好像身体内具有着绝大的力量。脸上的表情是坚忍而确定，没有半点犹豫，没有半点畏怯。这使周如水不禁疑惑起来；怎么这小小的身体内会容得下那么多的愁苦，而在表面上又是这样平静，这样坚定。他开始不能够理解了，他感动，他佩服，他几乎要崇拜这个人。他想他自己无论如何是做不到这样的，因为近来每一想到自己身上，那复杂的问题就来了，而且变得更加复杂。他呆呆地望着陈真的坚定的脸，忽然起了一个念头。他想现在就从陈真那里他也许会得到一两句有力的话来解决他的复杂的问题。便微笑着问："你说我的问题究竟应该怎样解决才好？"他热烈地期待着陈真的回答。

"你的问题？好，我且先问你：你究竟要不要女人？"陈真勇敢地问道。

"如果我决定不回家，我当然要找一个女人才行。"周如水的回答依旧是犹豫不决的。

"又来了，"陈真稍微停了一下，又笑着接下去，"那么你究竟爱不爱张若兰？"

他微笑着，沉吟了半晌，才点了点头回答道："我想我是爱的。"

"你说说看，她对你怎样？我看她对你的态度很不错，是不是？"

周如水笑着点头。默默不响。

"那你去和她结合好了。你已经正式向她倾吐了你的爱情吗？"

“这可没有，”周如水率直地回答道：“我只是偶尔隐约地对她作过暗示。我屡次想明白地对她表示我的爱情，却总没有这勇气，而且似乎还早一点。”

“你现在还等着什么呢？你的年纪不小了，也该拿出一点勇气来！”陈真忍不住嗤笑起来，“只是隐约的暗示有什么用处？无论如何终于免不掉有明白表示的那一天。你现在正有好机会，不要让它失掉。我劝你还是马上去进行罢，不要再迟疑了。”

“进行倒是应该的，”周如水微笑地自语着，他似乎又在沉吟了。“进行了又有什么结果呢？”这是在问他自己。

“有什么结果？”陈真又笑了，“不是成功，就是失败！”歇了歇他又加一句？“我看你很有成功的可能。”

在陈真的意思，周如水的成功是很有把握的。而且他相信这成功的预言一定会给周如水带来更大的勇气。谁知道事实上却是恰恰相反。说到成功，便是更加逼近现实，逼近现实就是要从思想的范围走入行动的领域，这就是要下一个最后的决定，再无法迟疑了。像周如水这样的人是不能够如此轻易决定的。他又犹豫起来了。他觉得这犹豫是很有理由的，因为在轻率的决定之后，于是她就会正式地走进他的生活里来，他便不得不把他的生活方式多少改变，而和她共同过那未知的新生活。过那新生活是需要着新的勇气的。他自己究竟有没有这勇气，他现在确实没有把握了。而且他还不曾把自己的身世真实地告诉她，在平时谈话之际，他只暗示地对她表示他没有结过婚。他这样做，并不是存心欺骗她。他自己也不知道为什么要这样做，他想也许是因为自己希望事实应该是这样，于是在不知不觉之间就把梦想当作现实了。但是如今要和她结婚结合，便不能够再隐瞒她了。在两个共同生活的男女中间不能够有秘密存在的，那么他应该先把这真相告诉她，应该马上去告诉她。要去承认自己以前说了谎，他是没有这样勇气的，而且她知道这事以后的态度怎样，他此时也想像不到。她也许会因此怀恨他，鄙视他。他是不能够忍受这打击的。总之，想来想去，顾虑愈多，归根结蒂，还是“没有勇气”四个字，他似乎感到绝望了。

“成功？不见得罢，”他畏怯地，怀疑地说，“她要是知道我家里有了妻子——”

“有妻子，这有什么关系呢？”陈真抢着说，打断了他的话。“只要她真正爱你。况且你实际上可说和家里的妻子完全脱离了关系。”

“你想一个少女肯嫁给一个有了妻子的男人吗？”

“要是她爱你的话，还有什么肯不肯？”

“但是我以前并不曾和她说过真话。”

“那么现在告诉她好了。”

“她也许会恨我，怨我。”周如水变得更畏怯了。

“那么你就请她原谅你，要是她连这个也不能够谅解，那么你索性拉倒也痛快。”陈真这时已经不能忍耐了，但他还极力捺住烦躁说了以上的话，他希望周如水不会再有什么花样。

“我想她未必肯原谅我，既然明明知道这个，又何苦和她完全拉倒，留着现在的这样关系也是好的。况且我的问题太复杂了，一时也还无法解决。要和家里的妻子完全脱离关系，良心上也未免太过不去，所以我想还是让我慢慢地仔细斟酌一下。”周如水说着显露出十分焦急、十分认真的样子，把他平日的那种化小事为大事的态度完全表现了出来。过后他又沉吟地自语道：“但是没有她，我以后又怎样能够生活下去！这几天为了她，我连事也不能够做。”接着又自语似地赞道：“那肉香，那少女的肉香!”于是嘴唇上浮出了笑容。

陈真极力咬着嘴唇皮，为的是不要说出一句话。他明白和这个人说话是完全没有用处了，只是白白地花费自己的时间。他曾经怀着一颗青年的直率的心，想把这人的眼睛拨开，使看见自己的处境，使明白怎样才可以给自己带来幸福。他为这人的前途焦虑，而且把这人的幸福当作他自己的幸福给指示了到幸福的路。然而这人却拿良心和复杂的问题来做护身的盾，把一切的劝告都当作敌箭似地挡开了。对于这人，他如今还有什么办法?他们完全是两样的人，两个时代的人，是没有在一起的可能了。他从这人那里得不到一点东西，而且他也不能够帮助这人，不能够给他什么东西。他于是横了心，没有一点留恋，他坦然和周如水告辞走了。他甚至没有洗脸，而且不顾周如水在床上怎样大声唤他，留他。他想他在短时间内是不会到这里来了。

陈真走出周如水的房间，觉得精神也爽快许多，于是大步走下楼，后来到了草地上。看见这座楼房墙壁上的金光和地上的一片新绿，他便忘了方才的事。他正向大门走去，忽然有人在后面叫他，是女性的清脆的声音，异常清楚的“陈先生”三个字。他回过头看，在二楼的一个房间里窗户前站着秦蕴玉。她露了上半身，看得出来那水红色翻领纱衣的一小部分，没有画眉毛，没有染口红，脸上是新鲜的颜色，在蓬松的浓发下面显得很是白腻。她把两手放在窗台上，看见他回头，便用右手对他招手。

他转过身子，回头走了几步，离那窗户比较近一点，为的是听话方便。

“出去散步吗？”她微笑着问，用一只手在弄耳后的发根。

“不是，是回去了，”陈真也笑着回答。

“回去？”她故意做出惊讶的样子问道，“为什么这样早？不多玩几天？”两个眼珠光闪闪的只顾在他的脸上打转。在他的旁边又露出一个面庞，是张若兰的。

“陈先生，多玩两天不好吗？你只住了一个晚上呢！”张若兰笑着说，她的挽留的样子很诚恳。

“不行，我今天有事情。下午我还约了朋友到我的家里去。”陈真这样推辞说，但在心里他却想：“和你们玩有什么意思？我不是一件奢侈品，那还是让周如水去做罢。”他便转身往外面走。

“陈先生，”秦蕴玉在后面叫。

他应了一声站住了，转过身子，正看见秦蕴玉对他微笑。张若兰的脸从秦蕴玉的耳后露了出来。秦蕴玉不说话，只顾望着他笑，过了一会，她才说：“不要忘记到我家里来玩呀！”

陈真应了一声，又点了点头，才转身往外面走，先走到大门口，他自动地回过头往那窗户看，她还立在窗前望他。她又和他一挥手，便掉过头在张若兰的耳边说了几句话，然后又转头去看他。他还立在大门前。

走出大门，他好像离开了一个世界，她们的面庞和声音都仿佛还在他的脑里，他觉得不忍马上就离开她们，对她们还有点留恋。但过了一些时候，别的思想又开始来侵袭他，她们的面影渐渐地淡去了。他低声自语道：“永别了，你小资产阶级的女性！”他觉得心里很畅快，他便不再去想她们了，好像她们并不曾存在过一般。

六

一个多星期以后，陈真又到海滨旅馆去找周如水，要他翻译一篇日文的文件。陈真以为拿一两件这样的事情给周如水做，也许会给这个人一点鼓舞。

他到了那里，扭开门进去，却看见周如水正把头俯在写字台上。

他叫了两声“如水”周如水并不答应。他走到周如水的身旁，听见了抽泣的声音。这人哭了！他很奇怪这人为什么要哭？他想也许是张若兰对他有了什么不好的表示。但是一眼转间他瞥见一个旧式信封躺在桌子上。他记起了昨天曾替周如水转过一封挂号信去，是周如水的父亲寄来的，他想周如水的哭一定与这信有关系。他以为周如水马上就会抬起头来，便静静地在旁边等着。但过了一些时候并没有一点动静，他不能够再等了，便拍周如水的肩叫他抬起头，说有话要对他说。

周如水果然把头抬起来，脸上满是泪痕。他望着陈真，眼里闪着忧郁的光，脸上带了求助的表情，口里还在抽泣。

陈真从没有见过周如水哭得这样伤心，他也很感动，他觉得自己的心也有点酸痛了，他待要劝慰他，却又想不到用什么话才有效力。他只是同情地说："如水，什么事？你哭得这样厉害！我可以给你帮忙吗？"

周如水呜咽着，不说话，取了桌上的信，递到陈真的手上。陈真接了信，连忙抽出信笺急急地读完了。

这是周如水的父亲的来信，说他的母亲病了，日夜思念着他，要他马上回去。父亲已经在省城里给他找到了一个位置，是财政厅的一等科员，希望他即日回去就职。信纸共有五大页，满纸都是那一套冠冕堂皇的话：说来说去，无非是在外面读了这许多年的书，又到东洋留过学，当然应该回省来做个一官半职，以便将来向上发达，扬名显亲，这才是正理；如果老是在外面飘荡，一事无成，未免辜负了父亲培养子弟的一番好意。从这纸上可以看出一个严厉的父亲在训斥他的儿子。

陈真一字不遗漏地重读了，他愈读下去愈是气。他几乎想一把就将信纸撕碎，但仍捺住愤怒把信递给周如水，一面问："你现在预备怎样办？"

"我想回去，"这是周如水的回答。他还在抽泣。

这回答完全是陈真料想不到的。这就像一瓢冷水泼在陈真的头上，他感到一阵不舒服。他很气愤，便简短地说："好！"又问道："几时动身？"

周如水好像不曾听见似的，也不看陈真一眼，过了一些时候，他依旧悲声对陈真说："父亲要我做官，我是不愿意做的。"

"这样我看你回去的事恐怕成问题罢，"陈真冷笑说。

"但是我母亲病了，我又不能不去看她，回去是天经地义的事，"周如水说着，似乎有一种自比为孝子的气派，这不但引不起陈真的同情，反而使他讨厌起来。他想："好一个孝子！"这不是赞叹，这是轻视。

"那么做官也是天经地义的事，因为这样才不致辜负父亲的好意，"陈真依旧冷笑说。

"我也是这样想，"他茫然不加思索地说，他不知道陈真是在讥笑他。但他又说："不过做官，我是不愿意的，你知道我素来就讨厌做官的人。"

陈真冷笑说道："要是土还主义者还到都市里去做了官，官就不会使人讨厌了。要是童话作家进了财政厅，岂不是财政厅的大小官吏都会回复到童心生活去了吗？"他说了忍不住笑起来。

这一次周如水明白陈真是在讥笑他了，便愤慨地说："我这时心乱如麻，你不但不给我帮忙，反而来讥笑我！"

"你既然已经这样决定了，还用得着我来帮忙吗？"

“我什么时候决定的？这时候我连一点判断力也没有了。你得给我想想办法。你得替我决定一下。我真不知道怎样才好。老实说，要回去，我舍不得离开张若兰；不回去，我又觉得对不住母亲。母亲辛辛苦苦把我抚养成人，我从来没有报答过她的恩。她病了，要我回去，我怎么能够说个‘不’字呢？……然而一回去，什么希望，什么主张，都得抛在脑后了。尤其是那爱情。抛撇了张若兰去和那无爱情的女子一起生活，现在我是无论如何办不到的……你想我怎么能够决定呢？……”

陈真这一次并不非笑周如水了，却庄重地用同情声音对他说：“我说你只有一个办法，就是不回去。你母亲的病并不厉害，不过是想看看你罢了。你将来可以设法把她接出来。那么你可以和张若兰结合，你又可以和母亲住在一起。岂不是双方面都顾到了吗？”

周如水似乎不懂得陈真的话，但过后又接连摇头表示这计划是不行的。他便自己去思索，去思索一个更好的计划，而实际上他的思想只是在“良心，”“理想，”“幸福”这几个新名词上面盘旋。

陈真不再说话了，他知道在这里他的话没有丝毫的用处。他打算马上离开这里，但又记起他的使命，便把文件取出来对周如水说要他翻译。

“我这一晌来心里总是不能够安定，此刻更是心乱如麻，一个字也写不出，”周如水说着便把原稿抛在桌上，自己离了坐位在房里大步走起来。样子很是烦躁。

“那么我明天叫人来拿，”陈真让步地说，以为这一定不能问题。

“明天？你把原稿拿回去罢，我一个字也写不出。”

“那么后天来拿也可以，总之你非把它翻译出来不可，我本来可以找仁民翻译，但是瑶珠这两天病得厉害，他没有工夫，所以非找你不可！”陈真恳切地对他说。

“翻译，”他苦恼地念着这两个字，过后又激动地自语道：“翻译，也许我明天就会自杀，我的身子就会不在这个世界上，我还要管别的闲事？”

陈真看见这样子，知道他是不肯答应的了，而且据情形看来即使他肯答应，快，也要一个多星期译完；慢，也许会躭搁到两三个月，还不如自己动手来译好些，虽然忙一点，倒也痛快。至于周如水，这人一生就没有做过一件痛快的事，说到自杀这一层倒可以不替他躭心，他连一个简单的问题也没有勇气来解决，哪里还有勇气自杀！

这样想着，他觉得再没有留在这里的必要了，便收起了文件，不和周如水说一句话，就往外面走。但他还不能够忘记周如水，还在想周如水的事。已经走出了大门，他忽然想起一件事，觉得找到了一个好办法，便又回到旅馆去。

这一次他走到二楼十九号房间的门前就停住了。在门上轻轻敲了两下。里面没有应声。他又重重地接连地敲了几下。

“谁?”里面传出来这熟悉的女性的声音。

“是我,”他沈重地应了一声。

里面起了脚步声，门开了，是张若兰的疲倦的脸，眼皮微微下垂，头发蓬松着，左边太阳角有一团淡淡的红色的印迹。她好像是刚从午睡中醒过来。那件翻领纱衫的衣角上有几条凌乱的皱纹。

她把他让进去，似乎有点惊讶他一个人的来访，但依旧很客气地接待他。

一则是刚从睡梦中醒来，二则是没有什么话可说，三则是仿佛预料到他此来定有什么不寻常的使命，她虽然坐在他的斜对面，却有点不好意思地微微低下头，用手去摺弄衣角，不时略略抬了眼和他谈两句话。

“到底是小资产阶级的女性！不过和秦蕴玉又不同了。”陈真一面说话，一面冷眼观察她的举动，不觉有了这样的思想。他找不出许多闲话来对她说，后来便直捷了当地说出他的来意。

“密斯张，我来和你商量一件事情，……你不会怪我唐突罢?”

一则因为这事情颇为重要，一则他又怕她误会了自己的意思，所以他说话时不免现出激动的样子，声音也有点颤抖。

张若兰本来抬了头在看他，忽然听见他的话，脸上略略起了红云，她把头埋下去，也用颤动的声音慢慢地说："陈先生有什么话请尽管说，何必这样的客气！"

"我来和密斯张谈的是关于爱情的事……"他说到这里故意停顿一下，偷看她有什么举动。

她的脸更红了，他以为她知道了他的来意，他的心怦怦地跳动起来。她不知道要怎样回答他才好。她抬起头很快地把眼光在他的脸上扫了一下，然后故意惊讶地问："爱情？陈先生要和我谈关于爱情的事？"又抱歉似地解释说："可惜我丝毫不能够给陈先生帮忙。我对这事情全没有经验。"

陈真早已恢复了平静的状态，听见这样的话，不觉暗暗地窃笑，他想："这又是小资产阶级的女性的惯技了。看她怎样掩饰！她也许以为我在打她的主意罢。"他便接着说："我这次是为了如水来的。密斯张对他的态度，我已经知道了。他把所有的事情统统告诉了我。"其实这一句是谎话，周如水所告诉他的只是一小部分。他这时候急急地说话，为了不要被她打岔，他自己也不觉得这是谎话了。"他现在陷在绝大的苦闷里面。只有密斯张可以挽救他。他的问题是只有你可以解决的，我知道密斯张爱他，那么你一定愿意帮助他的。……我很了解他，他是一个好人，一个好到了无用的人，其原因是他自以为有一个复杂的问题，而他又没有勇气来解决它。……密斯张也许还不十分明了如水的身世，他的环境，而且他曾经对你说了谎。”他接着把周如水的身世详细叙述了一番，过后又说：“他的这个‘复杂的问题’缠住了他的头脑，使他动也不能够动一下。这问题一天不解决，他也就一天得不到幸福，而且永远不能够做一点事情，永远是一个没有用的好人。……其实在我看来这问题本来是容易解决的。而且密斯张你又是这问题里的一个重要角色，所以要解决这问题，你是最适宜不过的了。只要你肯答应，一切都有了办法。一个女人是知道怎样来处置这问题的。……”

她不答话，甚至不抬起头来。

“我知道密斯张和普通一般女子不同的，我又知道密斯张是真诚地在爱如水，所以我才来要求你做一般中国女子所不肯做的事；我希望你像斯拉夫的女性那样来爱护他，拯救他，鼓舞起他的勇气，使他忘掉过去的一切，来创造新的生活。我知道你能够这样做。”

她仍然不答话。

“我之所以这样冒昧地来和你谈话，是因为从前听见剑虹说过你的思想和我们的很接近，你自己也说读过我的文章，我的这心情你该可以了解罢。”

她依旧不说话。

“你也许会奇怪他为什么不亲自来向你表白他的爱情，他是没有这种勇气的，这要请你原谅他。……他在日本时也曾爱过几个女子，可是他终于没有勇气向她们表白爱情，结果是看见她们和别人结婚而自己躲在家里痛哭。……总之在他的问题未解决以前，他一生都不会有这勇气。要是你真正爱他，真正愿意救他，你便应该自己先向他明白表示。这在别的女子也许是不可能的，在你，我想该可以做到罢。”

她只是不开口。

“你也许是并不爱他罢，也许是曾经爱过他而现在后悔罢，那么我错了；我不该拿这些话来麻烦你。请你原谅我，我把你打搅了这许久，”陈真最后苦涩地说，他预备站起来走了。

张若兰忽然抬起头。脸色变得更苍白了，两颗大的眼泪嵌在眼角，泪水沿着面颊慢慢地流下来，她那两只长睫毛盖着的大眼睛很快地时开时闭。她呜咽地但仍坚决地对他说：“你的话我都听懂了。……你的好意我会永远记着。我答应你一定照你的话去做。”她的口又闭住了。他们对望了好些时候，从眼光里交换了一些用话句表示不出的言语。

陈真别了张若兰出来，走在路上不觉对她起了从来未有过的好感，他想：“虽然是小资产阶级的女性，究竟也有她的美点呵！”同时他又想到周如水的事，觉得已经有了解决的办法，他以后很可以放心了。这究竟算是了却一件心事，自己的心里也很畅快。

七

第二天早晨张若兰来约周如水到树林里去散步，两个人一道出去了。

在路上他们很少谈话。周如水的样子很忧郁，不再像平日那样有说有笑的。而张若兰有些激动，她还在心里盘算怎样和他谈那决定的话，同时一面关心他的举动，一面想到自己要和他谈的话，又有点害羞。

在途中有阳光，有花树，有鸣叫的鸟，有绿的菜畦：这些他们都不曾注意到。各人都沈溺在自己的思想里，但渐渐地周如水的脸上的愁容消灭了。他开始和张若兰絮絮地谈起话来，谈的依旧是自然界的美，土还主义等等的那一套旧话。后来他们走到了树林前面。

他们走进了树林，没有一点人声，只听见高树上的鸟声和蝉鸣，偶尔还看见一只松鼠在树枝上跳来跳去。这时周如水便兴高彩烈地谈起他的林间学校的计划来，但他的话忽然被张若兰打断了。她带了关切的样子问：

“周先生，你这两天为什么总是闷闷不乐？有什么不如意的事情吗？”

好像有一瓢冷水对准他的头脑直倾下来，他的兴趣顿时减退了。愁思又突然占有了他，他忧愁地回答道：“家里有信来，说母亲病了想看我，要我回去。”

“那么你究竟回不回去呢？”她的声音战抖着，很焦急地等待着他的回答。

“我想回去，因为不回去良心上是过不去的，”他认真地，甚至做出了孝顺儿子的样子回答道，然而声音里面依旧充满了苦恼。

她觉得希望已经去了一半，自己陷在失望的懊恼中一时说不出话来。她有点气恼，她怪他有了这样的决定，事前竟不告诉她，而且现在说这句话时也没有一点留恋的样子。“你已经完全决定了吗？”她半悲伤半气愤地问。

“还没有决定呢，因为父亲要我回去做官，我是不愿做官的。”

她本来想在“因为”之后他一定会说出某样某样的话，然而事实上她听见的只是“做官。”她差不多带悲声地说：“单是因为不愿意做官一件事情你才不肯回去吗？”

他心里想：“不单是因为不愿做官，最重要的原因还是舍不得离开你呢！”但口里却说，“没有了还会有什么原因呢?”他没有胆量说出实话来。

张若兰站在一株大树下面不走了,眼里几乎掉下泪来,她悲声追问了一句:“真的没有别的原因吗?”

“当然没有了,”他简短地说。他有些慌张起来,他想说别的话,然而他的嘴不听他的指挥。他这时只顾在替自己打算,完全没有注意到她的表情,也不去了解她的心情,否则他就会明白她的来意的。

这一次她的眼里真正淌了泪。她想换上一个别人,那人看见她这样,也会怜悯她,也会和她说真话,但是他靦然立在那里,似乎一点也不动心。她不觉迸出了下面的一句话:“到了这时候,你还不肯说真话吗?”

他惊异地望着她出神,自己似乎呆住了,全不明白她的意思,他还强辩说:“我有什么真话不告诉你?”不过声音里却泄露了他的悲哀,他的焦虑,他的恐怖。

“我知道你家里有妻子,”这一次她似乎镇静多了。她记起了她允许陈真的话,她便极力压抑下一切的杂念,以平静的温柔的心来和他谈那决定的话。

他起初还想分辩说他家里并没有妻子,但话未出口又被他咽下去了。他的眼里也涌出了泪,他不仅为她而哭,同时也为了他自己的被伤害了的骄傲而哭。

她看见他哭,她的心也软了,同时她的心里还充满着对他的爱情。她又忘了自己,带了悽然的微笑说:“有没有妻子，这倒不要紧，真正的爱是要超过这些关系而存在的。我爱你，我知道你也爱我，那么，其余的一切都不会有问题了。”她愈说下去声音愈低，但他依旧听得很清楚。她慢慢地住了口，就好像她是把话语放到远方去了似的，那余音还在空中飞舞，还在他的心上飞舞。她的眼睛里现了悲和喜的泪光。她的脸上起了一层薄薄的红霞。

他听了这些连梦里也不曾听过的温柔的话语，脸上顿时发光起来，他走近她一步，惊喜不堪地说：“若兰，你真的这样爱我？你的爱真超过那一切的关系吗？”他的心跳得很厉害，他想伸过手去搂她，但他的手马上就发起颤来，它们不敢动一下。结果他除了说话而外并没有什么举动。

她温柔地，爱怜地望着他，声音朗朗地答道：“是，我为你可以牺牲一切，但总得使你做一个有用的好人。”

“你这句话是什么意思？”他惊讶地问道，声音抖得更厉害，仿佛那即来的幸福在戏弄他。

她望着他笑了笑，用她的柔和的眼光爱抚着他的脸，然后说：“这就是不赞成你回去做官，而且帮忙你把现在的生活方式改变过。要你好好地振作起来……你的一切，你过去的一切，陈先生昨天都告诉我了。”

“若兰，你居然是这么好，我真想不到……”他感动地叫起来，他几乎要扑过去抱她，吻她。但是他太激动了，他不能够做一件事情。他只是涨红着脸，圆睁着眼睛气咻咻地望着她，半晌说不出话。

她不转眼地看着他，对他微笑，就像把他当作一个小孩子似的，她微微摇着头，温和地说："人在恋爱的时候都是这样。我们女人在这样的年纪是迷信着爱情的。这没有什么好或坏。我爱你，了解你。我要帮助你忘掉过去。"

他微笑了，汗珠从额上流下来，他掏出手帕去揩试它们，一面忘了自己地继续说着："我疑心是在做梦。这不是一场美丽的梦吗？……你来了……。这比童话里的梦还美丽。"

"我起初还不知道你的过去生活是那么忧郁的。你过去太苦了，"她爱怜地望着他，安慰他说。"你为什么不早告诉我那些事情？你为什么这一晌来死死地瞒着我？要不是陈先生对我说明一切，我们不知道要等到什么时候才能够彼此了解？"她说这些，就像一个年青的母亲在责备一个被溺爱的孩子。

一股猛然袭来的感情压倒了他。他的心里起初充满了爱，后来就充满了感激。这种强烈的感情把他的武装完全解除了。他第一次对她说了真实的话语："若兰，原谅我，我是一个懦弱无能的人。"这"懦弱无能"四个字从他的口里吐出来，他自己也不觉得。但它们却很响亮地在他的脑里长久地回响着。他刚刚有了绝大的勇气来接受她的爱，来献出他自己的爱。然而他连什么事都不曾做出来时这勇气就马上被那四个字打消了。他开始踌躇起来。母亲的憔悴的面孔威压地在他的眼前出现了。接着又是妻子的愚蠢的哀求的表情。“我怎么处置她们呢？我们在这里的结合母亲决不能够承认。我难道就肯为了这个得罪母亲而抱憾终身吗？而且即使我为她牺牲了家庭，我也算是欺骗过她一次了。她现在固然大量地宽恕了我，但是以后她会永久地相信我吗？女人的心是善变的。况且是我自己辜负了她。”他这样想着，仿佛就落进了黑暗的深渊里似地，不觉从心底发出了一声很低很低的绝望的呻吟。

“如水，”她看见了他的苦痛的表情，她不明白他为什么骤然改变了态度。她便温柔地挨近他，靠在他的身上，把她那充满爱怜横溢的眼光看上去，看他的脸，低声问道：“你难道还不明白我的心？”

周如水觉得自己陷在从未遇过的困难的境地里面了。他的思想也来得很快。一个思想刚来到他的脑里，另一个相反的思想马上又接着来了。每一个思想都似乎是对的；又似乎是不对的，他刚刚伸手去搂抱她，立刻又惶惑地松了手，甚至往后退了一步。他疑惑地自语道：“不能！这不可能！”他又苦痛地摇着头绝望地说：“不能，这完全不可能。我一生完结了。”过后他又悔恨似地说：“我不配，我是一个懦弱的人。”他甚至不敢正眼看她。他没有流泪，他却觉得泪珠直往他的心里滚。

“为什么不能呢？为什么不配呢？既然我自己愿意。”她起初惊讶地，关切地望着他。后来她觉得她开始知道他心里在想些什么，她便真挚地，感动地来开导他。他也很感动。他对她再没有疑惑了，他现在只有感激，只有爱。他很愿意立刻跪下去，把他的全量的爱献给她。然而这时候良心又威胁般地来把他抓住了。不仅良心，还有他的母亲，还有他的妻子，还有那过去的生活，还有社会上的一般人，这一切包围住他。他的心里起了猛烈的挣扎。他觉得快没有力量支持下去了。

“牺牲，”这念头就像一道电光掠过他的头脑。他觉得又渐渐地强健起来。最后他下了一个决心毅然说道：“若兰，我真后悔和你认识！我们今生是没有缘分了。希望你以后把我完全忘掉。我们的结合完全是不可能的。我应该回家去。我的责任是在那里。”

他鼓起勇气一口气说了这几句话，不敢看她一眼。停了片刻她正要开口，他却用抽泣的声音说了一个“再见，”就踉跄地走了。他走得很快。他仿佛听见她在后面哀声唤他，他连忙蒙住两耳。走进旅馆时他还感到了一股道德的力量。只有回到自己的房间以后，才倒在床上伤心地哭起来。

她悲痛地望着他走了。没有气力地把身子倚在树上，半晌说不出话来。过了好一会她才在后面唤了他两声。但他连头也不回，就转了弯不见了。

她懒洋洋地回到旅馆里，来时是两个人，在归去的路上就只剩一个孤零零的自己了。一切的景物都带了愁容，似乎都在怜悯她的不幸。

她一走进自己的房间，便取了信纸，一面哭着，一面写信给陈真。

陈先生：

我们今天在树林里演了一幕悲剧。我本预备把我的整个的心献给他，来帮助他忘掉过去的一切，来治疗他的创伤，来鼓舞他的勇气，给他创造新的生活，使他做一个勇敢的人，如你所希望我做的。我想要是我的爱能够拯救他，如你所说的话，我愿意把我的全部的爱给他，我可以不要一点代价，因为我确实爱过他。然而结果是我只给他添了更多的痛苦。我的爱竟不能够助他一点。他流着泪离开了我，说了那使我至今想着还心痛的话。我也是一路上淌着眼泪回家的。我固然爱他。但是现在我们只得分开了。我不能怨他，我知道他还爱我，可是他不相信我的爱，他不相信我的爱能够帮助他。因此我们的关系就只得这样悲痛地完结了。我也不能够再对他说今天说过的那番话了。我答应了你的要求，而结果却是如此，我实在对你抱歉，请你原谅。你的好意，你的对我的那样看重，以致把这重大的使命付托给我。你相信我的爱可以拯救他，你相信我可以做到斯拉夫女性的那样伟大。对于这一切，虽然是过分的推许，但我依旧是非常感激的。

这里我不能再住下去了，一切的景物都会给我唤起苦痛的回忆。我打算搬到蕴玉家里暂住，大概要住到开学的时候，有空请你常来玩玩。并望你时时给我他的消息。对于你我是始终敬重的，而且还希望你常常指教我。

仁民先生那里还常去吗？听说吴太太病得厉害，我下个星期日打算去看她。蕴玉也会去。希望能够在那里看见你。祝你

快乐！

张若兰○○日

八

一年后，一个晴明的夏天的午后，在海滨，就在大树林的中心，空气是很凉爽，四处都有鸟声和蝉鸣，一个人的缓慢的脚步声从近处传了来。来的是一个瘦长的青年，三十左右的年纪，脸上没有什么表情，是一个平静的脸，不过额上有了两三条皱纹。他穿着翻领衬衫，左手手腕上托了一件太阳呢西装上衣，右手提了一根手杖，他慢慢地走着，不时停了步抬起头往四处看，欣赏四周的风景。他走到一口井旁边，正有一个鬓角插了野花的十七八岁的姑娘挽起衣袖在那里汲水，他止了步在旁边静静观看，脸上浮出了微笑。那少女汲了水，端着那一个大瓦盆，预备向前面的茅屋走去，忽然抬起头看见了他，似乎认识他，把他望了一会，便对他笑了笑就走开了，进了茅屋里面去。

茅屋前面的一把竹椅上坐着一个灰白发的老人，手里拿了一把蒲扇，在那里赶身边的苍蝇。一条黑狗躺在他的脚下。那个老头子看见这青年走近，便抬头注意地看他，好像认得他似的。过后那个老头子带笑招呼他，一面问道：“客人从海滨旅馆来的吗？”

青年站住了，点着头亲切地答道：“是的，我是从那里来的”。他歇了歇便带笑地问了一句：“你还认得我吗？”

那老人抬起头来，用那一对依旧是弈弈有神的眼睛把青年仔细望了一会，显出很高兴的样子说：“呵！我记起来了……不错，你去年来过的。……你还记得起我？……呵，还有一位小姐。那回你和一位小姐同来的。她现在好吗？……为什么今天不来？……你一个人来？为什么不带她来？她真是一位好小姐？……我从来没有看见过像她那样又谦和、又漂亮的小姐！……你们一定早结婚了。……你下次一定要把你的太太带到这里来玩呢！请你回去说，那树林里的王老头儿还在想念她！……你福气真好，有一位那么好的太太。……不要忘记把你的太太带来。……琴姑，你刚才见过她罢。她今年十七岁了，我还没有给她看中一个女婿！……真不容易，在这个年头好的人真不容易找！”

那个老头子的话语似乎就不会有完结的时候，口里只见白沫在翻飞。这其间青年只是唯唯否否地应着。他的脸上虽然依旧堆着笑容，但眼睛已经失了光彩，他的精神似乎贯注在别处。那老人的话愈说愈刺痛着他的两耳，而且他的心也开始在发痛了。他后来觉得在那里实在站不下去了，便勉强和老人敷衍了几句，藉口说有别的事情就走开了。分别时老人还叫他不要忘记下次把太太带来。

离开了那老头子的视线以后，青年便放慢了他的脚步。他把眼睛无目的地往四面看，但似乎并不曾看见什么，一切的景物很快地在他的眼前飞了过去，不曾留下一点印象。他的眼睛好像完全失了作用。

忽然一株松树显现在他的眼前，遮住了他的视线。这松树因了它的形状的特异和树身的粗大，在他的脑筋里留下一个印象。他记得他和她最后一次谈话时，她便是站在这株大树旁边。他注意地看着树皮剥落了的老树，一年前的往事即刻涌上心头。那长睫毛大眼睛的圆圆的面庞又浮现在他的脑里了。他把那往事仔细回味了一番，充满了温和，亲切，柔爱的感情，他禁不住梦幻地低声叫了几声“若兰”。于是一个可怖的回忆就开始来刺痛他的心了：“她已经是别人的人，她已经躺在别人的怀里了。只怪当时自己没有勇气，放过了那个好机会，如今只剩了苦痛的回忆。……她原是爱我的，她是肯为我牺牲一切的，只是我太没有勇气，断绝了她的爱，以后恐怕再没有人能像她那样地爱我了。”他用一种凄惨的声音自语着，便走出了树林，但又留恋地回头望了望，又唤了两声“若兰”，好像他的若兰就是住在这树林里一般。最后他又叹息地说:“可是现在已经迟了。”

他走出树林，前面横着两条土路，两三个村姑提了篮在路上往来，看见他，便投了一瞥好奇的眼光，或者对他笑了笑。他便往沿树林的那条路走去，脚步依旧下得很慢。他忽然站住了，把手杖挟在左腋下，右手从西装袋里摸出了一张摺叠的信纸摊开来读，读到里面的某一段时，他特别放出声音来，这一段是。

> 汝妻已于二年前患病身故，因恐汝在外伤心，故未早告。今年自汝还省消息传出后，来吾家为汝作伐者，颇不乏人。余老矣，常为人讥为不识新潮流，故不欲再干预儿女婚事，须俟汝归后自行决定。惟汝究竟何时起程，应先将确定日期快邮函告，以免老父在家悬念。切记勿忘！……

他摺好了信，忽然又把信纸摊开看了一看，最后下了决心把信揉成一团，抛掷在地上，便拔步向前走了，在路上口里还不住地叹息道:“我错了。……可是现在已经无法挽回了”。但是没有人听见他的话。

图书在版编目（CIP）数据

雾 / 巴金著. — 北京：中国国际广播出版社，2013.1
（良友文学丛书）
ISBN 978-7-5078-3482-6

Ⅰ.①雾… Ⅱ.①巴… Ⅲ.①长篇小说—中国—当代 Ⅳ.①I247.5

中国版本图书馆CIP数据核字（2012）第266010号

雾

著　　者	巴　金
责任编辑	张娟平
版式设计	国广设计室
责任校对	徐秀英
出版发行	中国国际广播出版社（83139469　83139489[传真]）
社　　址	北京复兴门外大街2号（国家广电总局内） 邮编：100866
网　　址	www.chirp.com.cn
经　　销	新华书店
印　　刷	环球印刷（北京）有限公司
开　　本	620×920　1/16
字　　数	90千字
印　　张	12
版　　次	2013年1月　北京第一版
印　　次	2013年1月　第一次印刷
书　　号	ISBN 978-7-5078-3482-6/I·392
定　　价	38.50元

CRI 中国国际广播出版社　欢迎关注本社新浪官方微博　官方网站 www.chirp.cn

版权所有
盗版必究

人文阅读与收藏·良友文学丛书

(1)	鲁　迅　编译	竖　琴
(2)	何家槐　著	暧　昧
(3)	巴　金　著	雨
(4)	鲁　迅　编译	一天的工作
(5)	张天翼　著	一　年
(6)	篷　子　著	剪影集
(7)	丁　玲　著	母　亲
(8)	老　舍　著	离　婚
(9)	施蛰存　著	善女人行品
(10)	沈从文　著	记丁玲
	沈从文　著	记丁玲续集
(11)	老　舍　著	赶　集
(12)	陈　铨　著	革命的前一幕
(13)	张天翼　著	移　行
(14)	郑振铎　著	欧行日记
(15)	靳　以　著	虫　蚀
(16)	茅　盾　著	话匣子
(17)	巴　金　著	电
(18)	侍　桁　著	参差集
(19)	丰子恺　著	车箱社会
(20)	凌叔华　著	小哥儿俩
(21)	沈起予　著	残　碑
(22)	巴　金　著	雾
(23)	周作人　著	苦竹杂记　（暂缺）